Blandine Chabot

Franco-québécoise, Blandine Chabot est née en 1985 à Strasbourg. Elle a grandi à Montréal puis dans le sud de la France, avant de revenir au Québec à l'âge de 20 ans. Blogueuse et écrivain, elle se retrouve en 2015 parmi les 30 finalistes du Prix du récit Radio-Canada, sous son nom de jeune fille (Milette). *Si j'avais un perroquet je l'appellerais Jean-Guy* est son premier roman, publié en 2018 aux éditions du Cherche Midi, après être paru au Québec aux Éditions au Carré en 2017.

SI J'AVAIS UN PERROQUET
JE L'APPELLERAIS JEAN-GUY
(PARCE QUE COCO C'EST DÉJÀ PRIS)

BLANDINE CHABOT

SI J'AVAIS UN PERROQUET JE L'APPELLERAIS JEAN-GUY

(PARCE QUE COCO C'EST DÉJÀ PRIS)

cherche **midi**

Pocket, une marque d'Univers Poche,
est un éditeur qui s'engage pour la préservation
de l'environnement et qui utilise du papier fabriqué
à partir de bois provenant de forêts gérées
de manière responsable.

© 2017, Éditions au Carré

© le cherche midi, 2018, pour l'adaptation française

ISBN : 978-2-266-28846-0
Dépôt légal : janvier 2019

À tous les chats qui s'appellent Luc.

PARTIE
1

1

Au chapitre 2 de la deuxième partie du deuxième livre de Françoise Sagan que j'ai emprunté à la bibliothèque, je suis tombée sur un petit morceau de papier contenant une information brève et anodine, mais qui retint tout de même mon attention :

« Jean-Philippe 514555-2062
Appelle quand tu veux ! »

En tant que lectrice assidue, il m'est arrivé quelquefois d'accéder, involontairement mais pour mon plus grand bonheur, à l'intimité d'autres abonnés de bibliothèques, mais jamais n'ai-je clairement tenu un nom ainsi qu'un numéro de téléphone entre mes doigts. C'est insolite sans l'être, si je repense à deux marque-pages improvisés que j'ai déjà trouvés… Une fois, la personne m'ayant précédée dans la lecture d'un Romain Gary avait choisi pour repère une feuille de papier toilette pliée en deux. Lors d'une autre lecture, en compagnie d'Amélie Nothomb me semble-t-il, un aimant tout plat représentant un lémurien avait glissé sur mes cuisses alors que je lisais les premières pages. Je me souviens encore du sursaut qui accompagna mon face-à-face avec le primate… Sans trop hésiter j'avais d'ailleurs décidé de l'adopter, et il retient aujourd'hui mes factures non acquittées sur le frigo. Désormais, lorsque des gens viennent chez moi, j'assiste généralement à l'une de ces trois réactions : « C'est quoi ça ? Un singe ? » ; « Ah ! Chanceuse ! Tu es allée à Madagascar ! » ; et celle des gens qui ne me le disent pas formellement bien sûr, mais dont l'indifférence envers mes aimants signifie bien ce qu'elle signifie : ils s'en MOQUENT.

« Jean-Philippe 514555-2062
Appelle quand tu veux ! »

Bon…

Le chiffre 2 était présent deux fois dans le numéro de téléphone.

Et 2 est un multiple de 2.

Et nous étions le 22 novembre 2014.

Et Jean-Philippe est composé de deux prénoms.

Mais il n'était pas 14 heures.

Ni 2 heures du matin.

Seulement quelques minutes après 18 heures.

C'est vrai, j'avais bien deux coussins dans le dos et il ne restait plus que deux biscuits à côté de ma tasse de thé… Mais finalement… ? Finalement est-ce bien important ? Finalement, n'en avons-nous pas rien à faire de la numérologie ? Des sciences louches ?

Nous ne sommes pas dans un épisode de *X-Files*, mais simplement dans mon salon, sur mon canapé. J'aime mon salon, car comparé au reste de mon appartement, il est très grand. Cet appartement est mal pensé, mal divisé et mal insonorisé. Ma salle de bains a probablement été construite dans un ancien placard ; enfin, c'est ce que j'ai conclu lorsque j'ai réalisé que je pouvais, de façon simultanée, faire pipi, brasser l'eau du bain pour qu'elle mousse davantage, et coller ma joue contre la poignée de la porte. Oui, mon salon est ma pièce préférée, j'en ai fait un cocon confortable et chaleureux où sont regroupées quelques-unes des choses qui me font du bien : mes livres, mes vinyles, mes plantes, ma collection de miroirs, et la lumière.

Mes livres se partagent quatre longues étagères en pin, et la cohabitation avec mes chandelles et souvenirs de voyages se passe plutôt bien, même si *Le Docteur Jivago* et *La Montagne magique* ont déjà comploté deux fois pour que Pinocchio tombe au sol. La deuxième fois ça lui a pété le nez, et j'avais alors pris la décision de l'isoler à côté de mon serre-livres en forme de pied. Si j'avais plus de sous, plus de place et plus de temps, j'aurais plus de livres.

Mes vinyles sont rangés au sol par ordre alphabétique, dans des caisses de pommes en bois. Je les ai trouvés en grande partie sur Internet, et dès que j'ai envie d'entendre Yves Duteil, Pat Benatar, ou Raôul Duguay, je me penche, je farfouille, et je suis comblée.

Mes plantes, un aloe vera, un yucca et un philodendron, purifient mon air et me permettent de ne pas oublier la couleur verte durant les longs mois d'hiver.

Ma galerie de miroirs est face à mon canapé, audessus de ma télé. Ce n'est pas parce que je tenais à m'observer en train de regarder la télévision, c'est plutôt parce que c'était le seul mur disponible. J'en ai vingt-huit, si je ne compte pas celui de ma salle de bains et celui qui est cassé (mais que je compte recoller). C'est beaucoup, je sais, mais on collectionne ou on ne collectionne pas. Mon préféré est le plus petit. Déjà, il possède un manche. Et puis ses contours sont en métal joliment travaillé et j'aime à penser qu'il y a deux ou trois cents ans, il reflétait plusieurs fois par jour le visage, le cou, les seins et les cheveux d'une grande duchesse anglaise. Je l'ai trouvé chez un antiquaire que je n'oublierai jamais, car le vieil homme m'avait raconté être allergique à la poussière.

Je parlais aussi de lumière. Oui, j'ai deux immenses fenêtres à ma droite, je veux dire lorsque je suis assise dans mon canapé. L'architecte se moquait pas mal des proportions et de l'acoustique, mais il s'est défoulé sur la luminosité. C'est ce que j'ai aimé quand j'ai visité l'appartement.

Je suis donc installée dans mon canapé, je bois du thé et je lis ; deux loisirs que j'aime particulièrement associer le samedi après-midi, et pour neutraliser cette prépondérance du chiffre 2 j'en ajoute un troisième : je me caresse également la clavicule avec ma main qui ne tient pas le bouquin, sous mon pyjama, tout doucement, tout nonchalamment, même si ça ne me gratte pas, même si ça ne me conduira pas à l'orgasme, même si mes clavicules n'ont pas spécialement besoin de ce genre d'attention. J'ai souvent ce geste, que j'effectue pendant de longues minutes sans même m'en rendre compte, comme ceux qui se bouffent les ongles voracement pour une raison que j'ignore, puisque non : se ronger les ongles ne diminue pas le stress, au contraire. Plus on en bouffe, plus on veut en bouffer, mâchoires et doigts crispés, et plus on s'acharne sur ses bouts de phalanges car on ne trouve plus rien à leur soutirer.

Je suis en pyjama à 18 heures, oui. Cela amène inévitablement la question suivante : ai-je passé la *journée* en pyjama ou me suis-je *déjà* mise en pyjama ? Dans le premier cas je passerais pour une sacrée fainéante, dans le second pour une sacrée mémère. Toute vérité n'est pas bonne à dire, ainsi me contenterai-je de préciser la couleur et la texture de mon habit de nuit : je porte de la soie noire. Cela signifie donc que, s'il s'avérait effectivement que je sois une mémère, je ne le serais qu'à moitié. Décorés de rayures, de pois ou de nounours, les pyjamas me causent différents ennuis psychologiques, principalement de la dépression et de la neurasthénie.

Déjà la correspondance est rompue dans mon esprit entre les deux personnages principaux du bouquin et moi-même ; toute ma réflexion s'organise désormais autour des Jean-Philippe que j'ai connus dans ma vie. Trois pour être précise. Jean-Philippe, Jean-Philippe, et Jean-Philippe.

Je fais une moyenne d'âge, puis une moyenne de caractéristiques physiques, puis une moyenne de traits de caractère, bref un portrait-robot type du Jean-Philippe se profile dans ma tête alors que je continue à lire, déconnectée, mon deuxième roman de Françoise Sagan.

Selon mon expérience, les Jean-Philippe sont de sexe masculin. Ils sont réservés et l'humour occupe, dans le diagramme circulaire de leur personnalité, autant de place qu'un brin de gazon. Côté physique, je dois dire qu'ils affichent tous trois une particularité commune : la ressemblance avec Lambert Wilson ne frappe pas.

Je n'ai jamais été en couple avec un Jean-Philippe.

C'est cet « Appelle quand tu veux ! » qui me travaille… Je le prends pour moi. Un peu comme les insultes griffonnées dans les toilettes publiques ou sur les bancs des parcs. Quelqu'un l'a écrit, c'est à la 2ᵉ personne du singulier de l'impératif présent, je tombe dessus : je me sens concernée.

Seulement là on ne m'ordonne pas d'aller *me faire enculé*, on ne me traite pas de *grosse salope ki suce des queues* non plus ; on m'invite gentiment à appeler, et quand je veux en plus. Raison de plus pour me sentir doublement concernée.

Si le papier ne comportait qu'un numéro, ou un numéro plus un nom, ces trois bonshommes insipides ayant pour autre point commun leur prénom ne titilleraient pas ma mémoire en ce moment. Mais cet « Appelle quand tu veux ! »… Cet « Appelle quand tu veux ! » casse instantanément toute l'opinion que je m'étais faite, à juste titre tout de même, des Jean-Philippe. Un homme qui inscrit son nom, son numéro, suivi d'un « Appelle quand tu veux ! » sur un bout de papier ne peut avoir le charisme d'une feuille morte. Ne peut rougir au moment de déboutonner une robe.

Selon mon expérience, les Jean-Philippe sont toujours de sexe masculin, mais ils ne sont plus forcément timides ou chiants.

Fin d'histoire un peu décevante, *Bonjour tristesse* m'aura clairement plus chavirée que ce deuxième livre, et je m'endors en pensant à ce Jean-Philippe et à Françoise Sagan. Outre le fait qu'un protagoniste porte le même nom que mon chat, elle avait choisi son propre prénom pour le personnage le moins triomphant de l'histoire, la femme, d'ailleurs, de celui qui porte le même nom que mon chat ; cela me troublait un peu, sans pour autant m'empêcher de trouver le sommeil.

2

Du point de vue d'un pèse-personne et d'un mètre à mesurer, nous nous ressemblons beaucoup. Du point de vue d'un coureur de jupons assis non loin de nous dans un bar, je suis le plan B si elle est prise, lesbienne, ou pas intéressée. Du point de vue d'un psychologue je suis, sans vouloir me vanter, probablement la plus intéressante et lucrative. Du point de vue d'un prof de natation, suis celle qui a le plus beau fessier. Du point de vue d'un lapin, je suis la moins susceptible de le manger un jour, lui ou un membre de sa famille. Du point de vue de moi-même, Bénédicte a plus de seins et je ne dirais pas que c'est ma « meilleure amie » car passé un certain âge, je trouve que certaines formules doivent être remplacées par des mots d'adultes, et comme j'ai perdu ma virginité il y a maintenant dix-sept ans et que je charrie soucis et cellulite depuis encore plus d'années, comme je n'invite plus mes copines à dormir à la maison le vendredi soir, et comme je ne considère pas Bénédicte comme ma meilleure amie, je préfère dire que c'est une bonne amie.

Cette bonne amie a les cheveux roux, longs et naturellement ondulés. La chanceuse. Les miens ressemblent, comme me le disait très poétiquement ma mère dans mon enfance, à des queues de rats. J'ignore si un quelconque traumatisme s'en est dégagé, mais ensuite, à partir de mon adolescence et jusqu'à aujourd'hui, j'ai toujours gardé mes cheveux très longs. Plus longs que des queues de rats en tout cas. Maintenant, on pourrait dire que mes cheveux ressemblent à... à rien finalement. Voilà. Ma coupe ne ressemble à rien. En fait si. Quand ils sont attachés, ils ressemblent à une queue de cheval. Au sens propre du terme. Amie de cordonnier mal chaussée. Oui, car Bénédicte est coiffeuse.

Pour Noël, elle offre aux clients qui ont utilisé les services de son salon au moins six fois dans l'année un petit cadeau ; cette fois ce sera un porte-savon taillé dans le bois, en forme de coquille de noix géante.

Elle sait quand une cliente a testé un autre salon que le sien, car la repousse n'est pas assez longue pour avoir été privée d'attention durant tous ces mois. Cela la frustre et la blesse sans toutefois qu'elle ne le formule clairement, mais la cliente fautive se demande alors où sont terrées l'hospitalité et la conversation d'antan, où sont passés tous les autres magazines et les gens sympas.

Le bijou qui traverse sa langue constitue probablement le seul indice tangible d'une quelconque souffrance au cours de ses trente-trois merveilleuses années de vie, toutes formes de souffrance confondues.

Rousse/piercing sur la langue/plus de seins mais moins de fesses/pas de noir à broyer mais beaucoup d'orange/abus d'autobronzant/que dire d'autre... Voilà finalement un résumé bien superficiel, à propos d'une jeune femme dotée pourtant de bien belles qualités.

Yeux bruns. Enfin je crois. Bénédicte est aussi très attachante. Là je fais une phrase par contre. Elle est attachante car elle est gentille, naïve, généreuse et presque toujours de bonne humeur.

Tout de suite comme ça, d'aucuns pourraient s'imaginer que je suis jalouse d'elle. Que je veux la voir glisser, nue, dans un fossé rempli d'orties, ou que tous les gens qu'elle aime périssent dans un incendie, sur un ponton, mourant ainsi et carbonisés et noyés entre deux îles de Boucherville… Mais point du tout. Il me semble juste intéressant de préciser qu'elle vit et a vécu dans le bonheur toute sa vie ; en découle cette gaieté, parfois contagieuse, qui demeure l'une de ses plus évidentes caractéristiques.

N'étant pas tourmentée par de grandes questions existentielles, les problèmes et atrocités de notre monde, ou même son passé, j'ajouterais que sa présence produit le même effet qu'un spectacle d'enfants qui terminent leur année en maternelle, à l'ombre des arbres centenaires de leur jolie cour de récréation. Dix minutes en sa compagnie et on se dit : La guerre ? La faim dans le monde ? L'avenir de la planète ? Les maladies incurables ? Les réseaux sociaux ? La cruauté animale ? Le travail des enfants ? Le *shark finning* ? Le 10 mars 2013 ? Les vingt derniers mois de ma vie ? M'enfin… !?! Foutaises… ! Conneries, tout ça… ! La vie est un arc-en-ciel ; ma maison, un nuage – à hauteur du demi-cercle rose.

À deux tables de nous, un homme grand, mince et authentique, style apiculteur, la dévisage sagement mais sûrement, tout en aspirant de minigorgées de potage dans sa cuillère à soupe. Il a raison, car du potage ça se boit brûlant, sinon ça n'a plus aucun intérêt. La chemise à manches courtes en moins, il serait presque sexy. J'ai la très sincère conviction que les chemises d'homme à manches courtes devraient être passées à la déchiqueteuse, et je crois encore plus fermement que les hommes qui mettent un tee-shirt en dessous de leur chemise à manches courtes devraient être traduits en justice.

Christian, son fameux client, occupe une bonne partie de la discussion. Ou plutôt toute la discussion jusqu'à ce que nous changions de sujet.

Il vient maintenant se faire entretenir les cheveux toutes les semaines, alors qu'une fois par mois suffirait largement. Alors que des méthodes plus efficaces pour séduire une femme ont fait leurs preuves. Qu'un homme la courtise en venant se faire laver l'une des parties les plus grasses du corps humain me sidère.

Certaines questions très à-propos sortent de ma bouche ; ainsi mon cerveau est-il plus apte, lorsque je suis affamée, à suivre une discussion qu'à faire un choix devant un menu. Quinze minutes, c'est le temps que ça m'a pris pour déterminer si le saumon me tentait plus que les raviolis. La faim m'a toujours profondément handicapée intellectuellement.

— Mais tu lui coupes quoi, *à ce Christian* ? lui demandai-je amusée et, un peu excédée, aussi : j'aime les histoires croustillantes, voire érotiques, ou du moins qui avancent un tantinet d'un rendez-vous à l'autre.

— Ben justement la dernière fois on était bien d'accord là-dessus, il n'y avait rien à couper du tout ! Alors il m'a demandé de…

— De… ?

20

— De lui laver les cheveux et de les sécher !

Nous ne sommes pas deux copains qui jouent au hockey ensemble le jeudi soir et pourtant, j'aimerais pour une fois entendre qu'il l'a déshabillée avec enthousiasme, qu'elle a abondé dans son sens, et que son début de barbe lui a un peu irrité le clitoris.

Avec franchise, je lui dis ce que je pense de son client, de la situation… Elle rit et me dit que non, il ne lui a toujours pas proposé de la voir en dehors du salon. Ajoute qu'il paie toujours le prix d'une coupe quand même.

— Mais de quoi parlez-vous, à chaque fois ?

— Ben, on parle beaucoup de politique. Presque tout le temps ! C'est un gars hyper intelligent et cultivé, dit-elle avec force conviction, en se faisant une tresse sur le côté.

— De politique… ?! Et tu aimes discuter avec lui ?!

— Grave ! Il pourrait me parler de n'importe quoi, je serais la plus intéressée du monde !

— Bon… Tant mieux alors… ! Tu me surprends… Il faudrait quand même essayer de passer à l'étape suivante, non… ? Un aprem ping-pong… De la peinture sur céramique… Du coloriage pour adultes ? C'est très à la mode depuis quelque temps. Il paraît que ça détend beaucoup.

— T'es nouille, dit-elle en riant. Et toi alors !? Tu te moques de moi mais tu es toujours seule aussi, hein ! Ça fait un bon bout d'ailleurs ! Dis-moi tu n'aurais pas un élastique à me prêter, celui-là est vraiment merdique !

C'est vrai, je suis encore et toujours seule aussi… Aucun papa ne demande à me rencontrer toutes les semaines pour parler des difficultés de son enfant, pour que je lave ses cheveux, ou pour m'inviter au restaurant et c'est tant mieux, et c'est normal : je dois dégager autant de mauvaises ondes qu'un champ d'antennes-relais de téléphonie mobile…

L'apiculteur a remis son veston et je dirais que l'amélioration est troublante. Il s'apprête à partir, Bénédicte ne l'aura même pas regardé une seule fois, pas remarqué en fait, alors que lui se demandait déjà si elle est adepte de randonnée pédestre et bonne couturière. Je trouve cela amusant… J'ignore quelle sera sa prochaine destination, mais ce qui me semble injuste, lâche, c'est que des femmes le trouveront probablement séduisant et bien habillé, alors que sous le veston se cache l'un des plus grands, l'un des plus redoutables tue-l'amour. Au mensonge et à la manipulation, voilà à quoi j'ai envie de crier.

Je n'ai pas pris de dessert ; juste un thé. J'aime beaucoup le thé, et si je ne m'impose pas certaines limites, je m'achète une nouvelle théière chaque semaine.

Les raviolis n'étaient pas top et les yeux de Bénédicte sont bien bruns.

3

Il sait conjuguer le verbe *appeler* à la 2e personne du singulier de l'impératif présent sans l'estropier, ce qui est déjà intéressant. Pour le reste, difficile de pousser l'étude…

Un individu francophone, probablement. Peu d'Américains ou d'Asiatiques se prénomment Jean-Philippe… Même chose du côté scandinave…

Bon. J'ai quatre hypothèses.

Soit c'est un original, un sentimental, un réfractaire aux sites de rencontre, au *speed dating* et aux boîtes de nuit. Le type est à fond dans l'interprétation des rêves, une nuit il a rêvé qu'une boîte de sucre se promenait le long d'un lac en sautillant, puis elle l'a regardé dans les yeux et lui a fait coucou de la main, avant de se jeter dans le lac. Alors à son réveil, il a ouvert son livre sur l'interprétation des rêves, à la section *Boîte de sucre qui s'anime autour d'une source d'eau*.

« Dans l'interprétation des rêves, la boîte de sucre indique toute une problématique autour de la solitude, sentimentale ou sociale. En fonction du dénouement du rêve, il faudra ou non tenter de sortir de cet isolement, ou de ce célibat. Il demeure pertinent de préciser que lorsque la boîte de sucre décide de se jeter dans une source d'eau, le message est immédiatement clarifié. En effet, le sucre dilué dans l'eau est un symbole fort dans la littérature contemporaine, et suggère qu'un message laissé dans un livre de Françoise Sagan amènera la douce moitié tant attendue vers l'auteur du message. En revanche, et c'est cela qu'il faut examiner en premier lieu, si la boîte de sucre ne fait pas coucou avant de se jeter dans l'eau, le rêveur devra uniquement comprendre que les tisanes détoxifiantes à l'avocat, c'est bon pour les mollets et la cage thoracique. »

Deuxième hypothèse : c'est un déséquilibré, un tueur en série qui s'est dit que les lectrices de Françoise Sagan sont des proies un peu naïves et inconscientes, qui iront probablement le rejoindre sans se méfier ni exiger un lieu fréquenté pour la première rencontre. Parler d'amour, de vacances et de ciel bleu-gris sera alors sa seule contrainte pour les charmer, les attirer dans son piège fatal.

Troisième hypothèse : j'ai affaire à un gamin de treize ans qui s'amuse à mettre des papiers dans les livres de sa maman, juste avant leur retour à la bibliothèque, et lorsqu'une victime compose ce numéro de téléphone, lui et son frère lancent un « TU PUES DU CUUUUUL !!!!!!!!!!!!!!!!!! » bien assumé, avant de pouffer de rire et de raccrocher cruellement.

Dernière option : cet homme a donné son numéro à quelqu'un, qui l'a oublié dans le livre.

Je me considère encore trop jeune et utile à l'humanité pour donner rendez-vous à un tueur en série et trop sympathique pour me faire dire que je pue du cul. Je me considère également trop impliquée émotionnellement dans cette histoire pour que ce message ne s'adresse pas à moi. Puisse Jean-Philippe être à la recherche de l'amour, avoir de jolies dents, et pas plus d'un animal domestique ; de préférence un chat. Un ou une amie pour mon Luc adoré. Oui, c'est décidé, c'en est fini du célibat. C'en est fini de l'amertume… Du pessimisme… Des appréhensions… C'en est fini de la solitude, de la méfiance et des poils aux jambes. Je veux une copine pour ma brosse à dents. Je veux écouter des comptes rendus de journée en mangeant des spaghettis à la bolognaise. Je veux un killer d'araignées et des épaules à masser. Je veux qu'on blâme ma façon de cuire les steaks. Je veux qu'on me propose sans crier gare de partir une semaine en amoureux, découvrir le sud de la Californie. Je veux qu'on m'inculque des notions d'informatique contre mon gré, dans une ambiance tendue. Je veux qu'on m'explique que la vie c'est beau, et que la jalousie ce n'est pas bien. Je veux qu'on me propose d'adopter un berger allemand, et qu'on insiste pendant deux ans.

La vérité est que personne ne répond à un message trouvé par hasard dans un livre de bibliothèque. Aucun esprit, si tordu soit-il, ne perdra donc une seule minute à imaginer une telle mise en scène. C'est comme si j'achetais les trucs inscrits sur les listes de courses que je retrouve parfois par terre, au supermarché ou dans les stationnements. Ce serait aussi idiot que de téléphoner à ce Jean-Philippe. De toute façon j'exècre le boudin, je n'utilise pas d'assouplissant pour mes vêtements, et le terme « pain » demeure trop flou pour l'amoureuse de boulange que je suis. Je refuse de me mêler à pareil amateurisme. Surtout, je ne saurais pas à qui apporter tout ça.

Ce serait aussi idiot que de téléphoner à ce Jean-Philippe, cependant… Cependant oui. J'ai envie de téléphoner à ce Jean-Philippe. Aussi insensé, absurde, impensable, inconcevable que serait un tel geste… Plus que d'acheter du boudin à un inconnu en tout cas. À force d'y penser, j'ai réussi à me persuader du bien-fondé de cet appel. J'ai réussi à me convaincre qu'il est permis et légitime d'appeler cet homme. Qu'il va être surpris deux minutes puis trouver cela *cool*, voire normal. Comme les cahiers de coloriage pour adultes. On trouve ça débile sur le coup, on se moque de tous ces gens, ils semblent découvrir que les adultes aussi peuvent colorier, puis on se retrouve sans trop s'en rendre compte dans une allée de papeterie, à se demander si notre maman préfère la grande barrière de corail ou les costumes du Moyen Âge. Finalement on prend les deux.

Le lendemain matin une mauvaise pensée me tra-
versa l'esprit sans en envisager tout de suite la sortie : une jolie femme avait emprunté le bouquin juste avant moi, Jean-Philippe avait eu un coup de foudre pour elle en se rendant à son dernier vernissage, un reportage photo sur les arbres malades d'Asie septentrionale ou je ne sais trop quoi, et lui avait donné son numéro en lui disant qu'elle était magnifique, tout comme ses photos, et qu'il aimerait la revoir. Elle l'avait ensuite appelé tellement souvent qu'elle connaissait son numéro par cœur, le papier était devenu inutile, il avait fait office de marque-page le temps d'une lecture. Jean-Philippe et elle se voyaient ensuite tellement souvent qu'elle avait complètement délaissé sa lecture, au chapitre 2 de la deuxième partie, se privant ainsi du plus beau et brillant passage du livre…

Merde.

5

Pour l'anniversaire d'une amie, j'ai décidé d'acheter un cadeau dans un sex-shop, histoire de rigoler un petit coup.

Les trois fois où je suis allée dans un sex-shop au cours de ma vie procurèrent un bonheur infini à l'observatrice que je suis. Quiconque passe la porte d'une boutique qui commercialise des ventouses pour tétons unisexes et des plugs anaux imitation queue de renard tente d'adopter la même attitude : l'attitude « Pffff… Pas mal à l'aise DU TOUT de venir ici, moi. J'ai grandement l'habitude et avec Corinne, on vient tous les mardis après-midi. »

C'est universel.

Pourtant nous sommes probablement soixante-quinze pour cent à nous retrouver dans un tel endroit pour la première fois, et on est gêné, et on est intrigué, et on se retient de rire comme des amateurs en voyant l'imitation de vagin en silicone dont la fausse pilosité ressemble plus à des poils de poney clairsemés qu'à une jolie toison douce, fournie et frisée.

Même si on y va seulement pour acheter des bas résille ou une huile de massage à la mangue, on s'y rend quand même, dans l'allée des godemichets. C'est un réflexe humain. Un instinct primitif. Et là encore, une pensée pour les chevaux... C'est incroyable ce que les gens achètent et personnellement, je suis d'avis que si la chose n'entre pas dans une table de chevet, peut-être est-il temps de revoir ses priorités.

Les deux filles en train d'essayer des bottes de stripteaseuse me regardent un peu de haut et elles ont raison : réussir la traversée d'un magasin chaussée de cuissardes d'un demi-mètre de talons-plateformes avec autant d'aisance que si je portais mes Converse me transcenderait moi aussi.

Un client est rarement laissé à lui-même dans un sex-shop ; un vendeur vient m'aborder. Quel adorable garçon ! Il devait avoir dix-huit ans et demi, d'origine asiatique, un peu plus grand que moi, tout fin, tout délicat, tout timide et gentil, tout porte à croire qu'il s'agissait d'un étudiant en sciences et génie des matériaux lignocellulosiques. Chacun de ses sourires était freiné dans son élan ; dissimuler à tout prix cet appareil dentaire pourtant discret.

Il m'a demandé si je cherchais un truc en particulier, je lui ai répondu que non, que je cherchais un cadeau original et amusant pour l'anniversaire d'une amie : soit un seul gros cadeau, soit plusieurs petites babioles à prix intéressants.

Je sentais bien qu'il aurait préféré causer géographie, que l'on s'amuse à se poser des questions difficiles pour déterminer lequel de nous deux connaît le plus de capitales sur le continent européen, ou encore que je lui demande si Ryan Gosling n'aurait pas été mieux que Tobey Maguire dans le rôle de Spiderman, mais non, je lui ai plutôt demandé, fascinée, et moins embarrassée que j'aurais cru et dû, si ça prenait beaucoup de temps avant que la main au bout du bras en silicone soit totalement introduite dans l'anus. Si, pour l'entretien après utilisation, il valait mieux utiliser du liquide vaisselle ou si un simple rinçage sous l'eau tiède suffisait. Je pense lui avoir appris quelque chose cet après-midi-là : ces gros avant-bras devant lesquels il passe quotidiennement ne servent pas à se gratter le milieu du dos. De gros vicieux se les FOUTENT DANS LE CUL. Oui mon p'tit gars.

Il m'a tout de suite emmenée vers un objet qui semblait être LE best-seller du magasin en matière de cadeau inattendu et propre à divertir une tablée : le décanteur à vin en forme de pénis.

— Bonne idée ! dis-je, mais... non merci.

Il m'a ensuite demandé si elle aimait lire.

— Oui, beaucoup !

Nous nous sommes donc dirigés vers la petite section librairie, et il a pris dans ses mains un livre que j'ai tout de suite reconnu.

— Ce livre est génial. Il a beaucoup de succès, me dit-il.

— Tu plaisantes ?! Je l'ai lu l'an dernier – puisque tout le monde en parlait – et, vraiment, j'ai dû me faire violence pour le terminer. Le succès de ce livre reste un GRAND mystère pour moi. L'as-tu lu ?

— Non...

Finalement, je suis repartie du sex-shop les mains vides, et j'ai acheté un globe terrestre avec une lumière à l'intérieur chez Toys'R'Us. Nous avons tous joué à qui connaît le plus de capitales dans le monde en mangeant du gâteau aux fruits.

Je plaisante.

J'ai acheté une boîte.

De pénis.

En chocolat.

J'ai acheté des pénis en chocolat dans une boîte, quoi.

J'ai acheté du chocolat qui est dans une boîte et qui est en forme de pénis. Les chocolats, pas la boîte.

Les pénis que j'ai achetés pour ma copine, eh bien ils sont en chocolat.

Ma copine va manger des pénis en chocolat.

Je voulais que nous nous éclatassions un petit coup, que nous débridassions furtivement nos courtes existences, que nous encourageassions la pornographie et la dépravation le temps d'une vêprée ; j'achetasse donc une boistelette avec, en son sein, une demi-trentaine de chocolats dont la forme eût été calquée sur l'appareil génital masculin.

D'une grosse quantité de chocolat ont été engendrés de petits pénis, lesquels ont été disposés dans un joli coffret, lequel sera offert à mon amie Margaux.

Et le cacao devint pénis. Et les pénis devinrent cadeau.

Si je ne devais garder qu'un mot pour résumer mon cadeau… Pénis, boîte ou chocolat ?

Boîte. C'est la première chose qu'elle va voir, et la première impression est toujours la plus importante.

Non… On s'en fout de la boîte après tout. Ce sont les pénis qui importent le plus dans ce cas-ci.

Qu'est-ce qui fait que ce cadeau est celui que j'ai choisi pour elle ?

Est-ce parce qu'elle aime le chocolat ?

Parce que les chocolats sont en forme de pénis ?

Parce qu'elle aime les pénis ?

Je crois que le mot à retenir de tout cela est « pénis ».

Non.

« Poney. »

Merde. C'est quel immeuble déjà ?

Ding dong, ding dong.

— Aaah ! Ma prof de français préférée !

— Bon anniversaiiiirrrre ! dis-je en serrant chaleureusement mon amie.

Margaux prit mon manteau et son nouveau compagnon s'approcha de moi : Victor. Un grand chauve, plutôt costaud, qu'elle avait hâte de me présenter et dont le parfum signé Jean Paul Gaultier m'était bien familier. Le flacon bleu en forme de tronc masculin, posé sur une étagère de la salle de bains, confirma plus tard l'efficacité de ma mémoire olfactive. On s'habituait vite à l'ostensible complicité de ses sourcils, et on était encore plus vite charmé par sa gentillesse, simple et sincère.

Eh bien me voilà, Victor. Bonjour et enchantée ; je ne t'imaginais pas comme ça. L'ex de Margaux était plus raffiné… C'était peut-être ça le problème, finalement. Quoi qu'il en soit tu ne portes pas de chemise à manches courtes, ce qui est très bien pour un homme à qui le style semble un brin faire défaut. Là je vais te dire que Margaux m'a beaucoup parlé de toi, ce qui est la vérité, et tu vas probablement me répondre « En bien j'espère ? » avant de ricaner un peu connement. Ne t'en fais pas, nous faisons tous ça.

— Victor ! Enchanté !

— Moi de même ! Margaux m'a beaucoup parlé de toi !

— En bien j'espère ? Hahaha !

33

— Oufff… Il vaut mieux que je ne te le dise pas, crois-moi ! Hahaha !

— Hahaha, fit-il.

— Hahaha, fit-elle.

— HAHAHA, fîmes-nous.

Dans le salon il y avait un couple que je ne connaissais point, Véronique et Patrick, ainsi que Bobine le chat, qui se faisait littéralement masser par Antoine, le frère de Margaux. Sébastien n'était pas présent, nous étions probablement dans la semaine de papa ; je fus donc obligée de confier le Kinder Surprise à Margaux, même si elle préfère que son fils mange des galettes de tapioca.

Antoine habite un corps de crudivore et porte des lunettes rondes toutes petites qui descendent tout le temps. Quand il sourit on dirait qu'il grimace, et quand il parle il est passionnant, surtout quand il explique en quoi consiste son métier de biologiste, et même lorsqu'il vante la valeur nutritionnelle de la bette. C'était la deuxième fois qu'on se voyait, et j'eus le sentiment que ça lui faisait extrêmement plaisir.

Était aussi présent un couple que je ne connaissais pas, donc, mais à propos duquel j'étais presque certaine d'une chose (même si ce n'est pas parce que quelqu'un ressemble à un agent diplomatique qu'il n'aime pas jouer à faire le renard) : ils n'avaient jamais déboursé un sou dans une boutique érotique. Madame, une brune pour qui la sobriété et la classe n'avaient aucun secret, portait les cheveux courts, coupe garçonne avec frange sur toute la largeur du front, et deux perles blanches étaient fixées à ses oreilles. Elle avait la quarantaine, soit à peu près dix ans de moins que son mari. Son pull à col roulé bleu clair était parfaitement coupé : il mettait en valeur sa lourde poitrine tout en dissimulant d'éventuels bourrelets abdominaux. Son mari, natif du nord-ouest de l'Arrogance, corps de cinquante ans bien nourri, et costume gris sans cravate merci, ne devait pas être du genre petit déjeuner au lit et escapade surprise dans le sud de la Californie. Nous nous saluâmes poliment, puis Victor me demanda ce que je voulais boire. Un verre de rosé bien sûr, si tu en as bien sûr.

Margaux a beaucoup de goût, que ce soit pour agrémenter sa garde-robe ou son appartement. Il n'y a qu'elle qui soit capable d'avoir, dans la même pièce, trois tableaux représentant d'immenses papillons dessinés au fusain, deux coussins avec des cerfs bleus imprimés dessus, les Dalton version éléphants qui se suivent à la queue leu leu sur le meuble derrière le canapé, un lézard tout chromé au milieu de la table basse, et une girafe en bois peint presque aussi haute que moi entre les deux fenêtres, sans que l'on se sente pour autant envahis par le monde animal. Non, ça ne fait pas surchargé, ça n'étouffe pas, et c'est même plaisant. Ça me donne envie d'acheter un couple de hamsters, tout ça.

— Margaux nous a dit que vous étiez enseignante ?

— Oui, tout à fait. Je le suis toujours d'ailleurs ! dis-je en souriant, car j'ai de l'humour.

— Professeur de français, c'est ça ?

— Oui ! La plus belle langue au monde.

Elle sourit, tandis que nous parvenait une information par l'entrebâillure de la fenêtre : un camion était en train de reculer dans la rue.

— Mon mari et moi avons fait le choix d'éduquer notre fils en anglais… Ce sera plus utile et intéressant pour son avenir.

— Oh… ! *And…* Euh… *How old is he… ?*

— Ten, me répondit son grand brun-gris de mari en se calant un coussin à l'effigie des cervidés derrière les lombaires, probablement dans l'espoir de les soulager.

C'est ça le problème avec l'osier. C'est bien pour enfiler ses chaussettes ou déposer son manteau, mais c'est tout.

— Patrick est anglophone, me précisa son épouse. Il ne parle pas français.

Patrick a surtout l'air d'approuver les petits cubes de melon enroulés dans du jambon de Parme. Dis-lui de se calmer un peu avec son cure-dents, moi aussi j'en veux, mais je dois laisser s'écouler les cinq ou dix minutes d'abstinence qu'il est bon d'observer entre l'arrivée dans une pièce et le premier amuse-gueule pioché.

— Oh ! *You don't speak French ?! It's…* une si belle langue, pourtant !

— *Sorry ?*

— Je ne sais pas dire « une si belle langue, pourtant » dans votre langue, indiquai-je à Véronique.

— *What did she say ?*

— *She said French is a beautiful language !*

— Oh…

— *Thank you Victowr for the wrosé.* Hummm ! *So delicious ! Is it French ?*

— De rien, mais… moi je ne parle pas un mot d'anglais ! Mais j'ai quand même compris que tu me remerciais… dit-il sans complexe.

— *God ! It's terribeule, Victowr !* dis-je avant d'adresser à Véronique un sourire dont la subtilité se faisait discrète.

Je dirais même que c'était plutôt mes pommettes

qui souriaient que ma bouche. Oui : il est possible de sourire des pommettes.

Antoine rit sans rien dire, un rire posé, discret et intelligent, Bobine se leva, et moi je réussis à endurer ces deux emmerdeurs toute la soirée sans emportement aucun. J'eus également beaucoup de plaisir à retrouver mon amie Margaux que je n'avais pas vue depuis des mois.

Margaux. Le prix Nobel de l'amitié, c'est à elle qu'il faut le remettre. La médaille de l'intégrité, idem. Son imperturbabilité mérite également d'être soulignée. J'utilise un mot aussi compliqué à écrire qu'à prononcer pour dire finalement que rien ne la fait flancher. Ou bien elle attend d'être seule, sous la douche ou sous la couette… Mais en ce qui me concerne, jamais ne l'ai-je vue hors d'elle ou angoissée. Jamais ne l'ai-je surprise en larmes ou désappointée. Elle est soit sereine et charismatique, soit en train de se marrer et toujours aussi charismatique. J'ignore d'ailleurs pourquoi elle fréquente ce couple de coincés de l'épiglotte, avec qui la rigolade doit être tout à fait occasionnelle.

Si elle ne travaille plus au même endroit que moi, c'est qu'elle est à la fine pointe de l'intégrité, justement, et les rapports entre elle et le directeur étaient tout sauf cordiaux. Pour être plus précise, ils étaient mauvais. Elle a préféré s'en aller, à ma grande, grande, GRANDE tristesse. Malgré ses quarante et un ans, elle pourrait défiler pour de grands couturiers sans faire tache au milieu des jeunettes sculptées dans de longs cierges d'église. La nature l'a dessinée d'un trait fin et gracieux, et lorsque nous travaillions ensemble, sa longue et toute lisse chevelure blonde baguette de pain qui a un peu moins cuit que les autres me permettait de la repérer de loin, même lorsque j'étais à l'intérieur et elle à l'autre bout de la cour de récréation.

C'est avec beaucoup d'enthousiasme que vers la fin du repas, Victor dit « Les cadeaux ! » deux fois de suite, alors que je me coupais une tranche de fromage de chèvre au poivre.

— Qui commence ? demanda Antoine.

— Je veux bien commencer, dis-je.

Je déposai le fromage de chèvre au poivre sur le bord de mon assiette et partis chercher mon sac.

— Ohhh… ! Un emballage tout rose… Et c'est rectangulaire… observa Margaux en saisissant la boîte.

— Mon petit doigt me dit que c'est un livre… dit Véronique en souriant. Elle est professeure de français.

Margaux commença à défaire le ruban adhésif.

— iPad, lança Patrick, anglophonement.

« Mais fermez-la donc, dis-je dans ma tête avec un sourire tendre, sans les regarder. Gros imbécile. Tu penses vraiment qu'avec mon salaire de prof, je peux lui offrir un iPad !? »

— Aaaah ?! Des pénis en chocolat ! Tu as tapé dans le mille, ma Cathou ! Ce sont mes deux friandises préférées !

Elle regarda Victor comme si elle avait dix-sept ans et qu'il était un ami de son grand frère.

— *What did she say… ?*

— *She say she loves SOOOO MUCH penis and chocoleïïïte !* traduisis-je d'instinct, ma retenue étant, à l'instar de celle de Margaux, prisonnière de l'ébriété. *Becauseuuhhh… I fink she drinks too much the wine than you bring.*

Tout le monde se mit à rire, sauf Véronique et son mari. Ils ne rejetaient pas non plus de façon catégorique le bien-fondé de notre propos – les pénis et le fruit du cacaotier ont quelque chose d'heureux et ils le savent, l'un d'entre eux mange forcément l'un des deux –, car un petit sourire avait tout de même fréquenté leur visage.

— Tiens, ça c'est le cadeau plus sérieux, dis-je en lui tendant un sac jaune.

— Oh, Christian Bobin ! Merci ! Tu sais que je l'adore.

— J'espère que tu ne l'as pas déjà ?

— Non, pas celui-là. Je le commence demain, dit-elle pendant notre étreinte.

Antoine remit à son tour son attestation de tendresse : une carte-cadeau pour une journée dans un établissement de massages et soins hydrothérapeutiques. Margaux fut ravie, et il y avait de quoi. Victor, visiblement ému et impatient, lui offrit une petite boîte, dont la forme longue et mince suggérait la présence d'un bijou en apaisant toutefois les appréhensions de sa belle : ce n'était *pas* une bague. Le bracelet était en or, torsadé légèrement et très délicat sans être non plus invisible ; quand la moitié de la paye y passe, il faut quand même qu'on le remarque un peu. Vraiment superbe. Véronique tendit à son tour son cadeau. Eh bien croyez-le ou non, il s'agissait d'un livre de coloriage pour adultes.

PARTIE
2

1

Mon ex s'est tapé ma sœur ; c'est la raison pour laquelle je suis célibataire depuis bientôt deux ans. Coucou c'est moi, la reine de la concision.

Depuis ce jour – le 10 mars 2013 –, chaque fois qu'un homme me plaît, je l'imagine, dans la seconde qui suit, en train de sauter ma sœur. Avant même qu'il me sourie, avant même qu'il m'ait repérée, avant même qu'il ne se trouve dans la même pièce, la même rue, le même bar que moi, c'est perdu d'avance. Pour lui comme pour moi. Je suis atteinte de quilsaute-masœurphobie. J'imagine que c'est normal. Je suis traumatisée et je réagis comme une traumatisée…

Je ne l'ai pas seulement su, je l'ai aussi vu.

J'ignore comment j'ai pu quitter l'appartement de ma sœur ce soir-là. Comment j'ai pu descendre l'escalier, entrer dans ma voiture, mettre la clé dans le contact, reculer, partir, conduire, ne pas me planter, ne pas foncer dans un arbre ; j'ignore comment j'ai pu survivre volontairement, et comment j'ai pu survivre involontairement. En fait j'ignore plein de choses. J'ignore s'ils auraient baisé en ayant eu dix minutes de plus avant mon arrivée, ou si mon ex, dont j'ai du mal à prononcer le nom depuis deux ans, se serait contenté de la fellation que j'ai malencontreusement interrompue.

Concours de circonstances… Crime planifié… Récidive… Énième récidive… Je ne le saurai jamais… Et je ne ressens d'ailleurs plus un besoin irrépressible de le savoir.

Ma sœur nous recevait à souper pour l'anniversaire de notre cher papa. Elle avait pensé à tout, olives dénoyautées pour moi, avec le petit morceau de poivron rouge à l'intérieur, eau pétillante pour maman, serviettes en papier pour papa, qui avait trouvé la dernière fois que ses serviettes en tissu n'essuyaient rien du tout, mais elle avait oublié le dessert… Je me suis donc proposée d'aller le chercher, afin qu'elle puisse continuer à préparer le repas.

Bien sûr, la logique aurait voulu que ce soit mon ex qui s'y rende, à cette pâtisserie, et qu'il nous laisse discuter entre sœurs, mais il arrivait des États-Unis, était crevé, et voilà, j'avais dit « je vais y aller, y a pas de problème ». Il revenait de tournée. Sa dernière, m'avait-il annoncé dans une lettre postée de Californie deux semaines plus tôt, ayant réalisé que « sa vie loin de moi était un feu d'artifice en plein jour ».

Il n'avait pas insisté pour aller chercher le gâteau à ma place. Quant à mes parents, ils n'auraient pas pu y aller, chercher ce foutu dessert, puisqu'ils vivaient encore à l'heure d'hiver, dont nous nous étions pourtant débarrassés durant la nuit.

Je suis donc partie, toute guillerette, acheter un joli et délicieux gâteau, orné probablement d'un « Bon anniversaire Bernard ». Je suis donc partie, sans le savoir, faire une grosse connerie. Mais j'ai fait demi-tour au bout de quelques minutes : je n'avais pas mon porte-monnaie.

Parce qu'elle a eu la tête en l'air, que j'ai eu la tête en l'air, et que mes parents ont eu la tête en l'air, nous en sommes arrivés là. Dans la famille Têtes en l'air, je voudrais la fille aînée s'il vous plaît. Oui, celle avec les queues de rats. La fille aînée et une paire de ciseaux. Ou un chalumeau. Au choix.

J'ignore s'il m'a trompée avec d'autres femmes... Si Geneviève suce bien... Mieux que moi... S'il m'a réellement aimée... Si je pardonnerai... Je ne sais que ce que j'ai vu : l'homme de ma vie était adossé au comptoir de la cuisine et replaçait, avec toute la maladresse du monde, sa queue dans son pantalon, tandis que ma sœur s'essuyait la bouche en se relevant. Oui, tout cela se terminait dans la précipitation et la maladresse, alors que leur tête-à-tête avait probablement débuté dans un climat d'excitation et de relative tranquillité d'esprit, mon absence devant durer, normalement, une bonne vingtaine de minutes.

S'il n'avait pas pris une douche avant de partir, elle aurait eu un peu de moi dans la bouche. Mais non, ça ne devait goûter que le mâle et probablement un peu la lessive, puisque sa queue venait de passer deux bonnes heures écrasée contre un caleçon propre. Un caleçon lavé et plié par mes soins, qui plus est.

J'ai eu le temps de voir qu'il bandait comme un salaud. C'est con, mais si j'avais vu qu'il ne bandait qu'à moitié, ma souffrance aurait peut-être été allégée...

Je ne saurai jamais si son érection avait débuté pendant que je mettais mon manteau. J'ignore si, après mon départ, ils ont terminé ce qu'ils avaient commencé.

45

Si oui, l'a-t-il pénétrée ou a-t-il simplement joui dans sa bouche ? Je me suis posé toutes ces questions. Durant des semaines.

Une autre disposition des pièces, un appartement plus grand, et je ne l'aurais peut-être jamais su. Mes parents à l'heure, ils n'auraient jamais pu. Mais ils ont pu et je l'ai su. L'envie devait être intenable, car pour oublier de fermer la porte à clé dans de pareilles circonstances, il faut être fou à lier. Même les ados sont plus prudents. Pourtant eux ne font rien de mal.

La dernière chose que j'aurai dite à ma sœur est « J'espère qu'il y aura des trucs en pâte d'amande sur le dessus ! »

Pendant de longues semaines, j'eus pour seul compagnon un mal foudroyant, une maladie de l'âme dont seul le temps peut venir à bout ou du moins, atténuer les symptômes. C'est plus violent et nocif que la gastro-entérite ou la rougeole, mais curieusement, le corps ne fait rien. Ni le système immunitaire ni le système digestif ne se mettent en branle pour l'expulser. Traîtres.

Un vampire inexpérimenté avait enfoncé ses dents dans mon cœur plutôt que mon cou, et je ne m'étais même pas transformée. Quand on se pète une jambe on met un plâtre et on attend. Mais quand on a le cœur défoncé, on met quoi ? Rien. Et c'est ça le plus terrible. La seule béquille est le temps. Le seul pansement est le reste de ta vie.

J'ai maintenant décidé d'y mettre un peu du mien. Je me suis dit qu'après tout, le remède s'appelait peut-être Emmanuel, Marc ou Alejandro. Je me suis dit que Jean-Philippe est un joli nom de médicament et que rien n'arrive pour rien. *Aide-toi et le Ciel t'aidera*. J'ai décidé de m'aider en téléphonant à ce Jean-Philippe. Oui, c'est insensé, foutrement insensé, insensé, inconvenable et inconcevable, mais je dois le faire de toute urgence. Si je ne fais pas ça *là*, je ne ferai rien *jamais*. Alors… Voyons maintenant si le Ciel respectera sa part du contrat.

2

On vit dangereusement ou on ne vit pas ; c'est aujourd'hui que ça se passe. C'est aujourd'hui que je fais un pas vers un être humain de sexe masculin, le premier depuis de nombreuses années : c'est aujourd'hui que je me donne une chance.

514555-2062. Suis-je vraiment en train de composer ce numéro ? Oui… OUI !

Ça sonne, je suis belle et maquillée mais je n'ai rien préparé, l'improvisation demeure ma seule stratégie. Elle m'a toujours davantage porté chance que mise dans l'embarras. Pourquoi se défaire d'un truc efficace ?

— Allô ?

— Allô… Jean-Philippe… ?

— Oui ?

— Excuse-moi de te déranger, tu vas trouver mon appel un peu fou…

— À qui je parle… ?

C'est là que j'aurais dû répondre « Heu… Merde ! Alors je l'ai vraiment fait ? Merde ! Excuse-moi. Raccrochons à tout jamais. Je ne sais pas ce qui m'a pris », mais j'ai poursuivi sur ma lancée… Bravoure, quand tu nous tiens.

— Écoute, c'est assez fou à dire, mais j'ai trouvé ton numéro dans un livre de Françoise Sagan que j'ai emprunté à la bibliothèque… Il y avait ton nom, ton numéro, suivis de « Appelle quand tu veux ! »… Alors… j'ai suivi tes instructions…

Un truc entre le rire timide et le soupir nerveux boucla mon introduction, et je l'entendis dire dans sa barbe, ou à quelqu'un d'autre : « C'est quoi cette folle ?! »

— Quoi… !?! Françoise qui ?

— Sagan.

— Euh, je sais pas ce que c'est que cette blague et je suis pas certain d'avoir tout compris mais là je suis occupé… !

— Ah… Excuse-moi…

— Est-ce que je peux te rappeler ?

— Oui oui… ! Bien sûr ! Mais ce n'est pas une blague, vraiment. Je sais que ça a l'air insensé…

Jean-Philippe me demanda s'il pouvait me recontacter à ce numéro ; ne se renseigna pas à propos de mon prénom ; ferma une porte de voiture, enfin, je crois ; et conclut la discussion en m'informant qu'il me rappellerait, donc. Tout cela se passa trop vite à mon goût, trop vite et pas bien ; je me sentis, immédiatement après avoir raccroché, tout à fait ridicule, furieusement ridicule – sentiment qui continua de m'habiter pendant plusieurs heures, que je qualifierais d'interminables et somme toute inutiles dans la vie d'une femme.

À quoi m'attendais-je exactement ? À ce qu'il me réponde : « Oui oui, c'est bien moi ! Je suis bien Jean-Philippe. Je suis gentil. Et célibataire. Je suis grand. Et brun. J'ai les yeux bleus. Et les cheveux propres.

Mes ongles sont entretenus quotidiennement. Je n'ai pas de meilleure amie fille. Et pas de fille. Ni de garçon. Je n'ai pas d'ex. Je n'ai pas de vie. Je t'attendais ! Je ne suis pas pour autant un pied au lit, attention ! Je sais m'y prendre. Je n'ai aucune ex, mais je ne suis pas puceau ! Je suis fidèle. Je suis parfait. Je suis l'homme de ta vie. »

J'enregistrai son nom et son numéro dans mon répertoire, afin de savoir que c'est lui lorsqu'il me rappellerait, afin de répondre comme si j'ignorais que c'est lui lorsqu'il me rappellerait, même si je savais qu'il ne me rappellerait jamais, et que tous ses amis allaient bien se foutre de ma gueule lorsqu'ils seraient mis au courant de mon coup de fil, de ma démence ; j'allais rester dans les annales de son cercle social et familial, je serais surnommée *La folle de la bibliothèque qui n'a pas de vie*, et c'est vrai qu'il ne faut pas en avoir, de foutue vie, pour avoir appelé ce type.

Grosse pluie, froid mordant : je me changeai puis partis courir avec mes nouvelles chaussures de sport – saigner du petit orteil, s'infliger volontairement des points de côté à court terme, une tenace rhinopharyngite à long terme, le tout pour oublier.

Jean-Philippe n'était pas seul, c'est évident, sinon il aurait pu me parler. Je me remémorai la conversation dans ses moindres détails et une chose m'emmerdait particulièrement : qui qu'il soit, l'autre individu qui partageait son espace lors de mon appel, qui prenait part à son début de mardi soir, a forcément conclu que je m'appelais Françoise.

J'enfilai ma casquette. J'avais besoin de Mansfield. TYA. Je me suis enfoncé les écouteurs bien profondément dans les oreilles, ce serait aussi jouissif et réconfortant qu'un orgasme, et je tirai sur le cordon de ma capuche. Mon MP3 décida que l'on commencerait la purge avec *Pour oublier je dors*. Excellent choix, mon ami. La pluie, mes belles baskets rose fluo, et ma vitesse de course me faisaient probablement passer pour une sportive de haut niveau que rien n'arrête. Pour une fille à qui rien ne fait peur, et dont la vie est aussi équilibrée que réussie. Ne vous fiez pas aux apparences, messieurs dames les passants, automobilistes... Messieurs dames les humains. Je me sens ce soir misérable... Pitoyable... Je le suis, aussi. Et plein de choses me font peur...

Un cycliste fou comme moi ou que le déluge avait surpris faillit me rentrer dedans à une intersection. Nous nous évitâmes heureusement de justesse, nous vacillâmes dangereusement, puis nous poursuivîmes notre route après nous être fait signe de la main, histoire de nous excuser. De dire que c'est bon, t'inquiète pas. Tout va bien.

Il fallait qu'un truc violent m'arrive pour apaiser ma honte. Il fallait que je me brise un membre ou que mon appartement se fasse cambrioler. Il fallait que j'aperçoive mon ex discutant amoureusement avec ma sœur derrière la vitre d'un joli resto intime, éclairés par le petit feu complice d'un lampion qui brûlerait entre leurs deux verres de champagne. En fait non. Il fallait que je tombe sur Jean-Philippe pour le tuer. Lui et la personne qui l'accompagnait au moment de mon appel. Cela réglerait immédiatement le problème.

Hélas, rien de tout cela n'arriva, et je rentrai simplement frigorifiée, trempée, et la région oto-rhino-laryngologique durement éprouvée. Au moins un de mes projets avait abouti.

Je consultai mon téléphone portable qui pour une fois ne m'avait point tenu lieu de montre, de chronomètre ou de toute autre chose privant la course à pied de sa dimension spirituelle. Un appel manqué et un texto.

Ce n'était *pas* Jean-Philippe.

J'avais une vie de merde et c'était confirmé.

Je tentai de délivrer mon téléphone et mon esprit de cette insupportable déconvenue ; sorte d'exorcisme pour retourner à ma vie un peu mieux d'avant... Le premier réagit favorablement et le nom ainsi que le numéro de Jean-Philippe disparurent de mon répertoire aussi vite que j'avais tourné la dernière page du premier chapitre de la deuxième partie du deuxième livre de Françoise Sagan que j'ai lu dans ma vie. Le second, en revanche, moins malléable, me rappela que la vie, ce n'est pas toujours chouette. Ainsi cette voix et tout ce que ce prénom avaient apporté de réflexion, d'espoir, de bravoure, de déception, de honte et de colère y resteraient incrustés durant une période indéterminée. Y resteraient pour toujours.

Il y aurait un avant et un après mardi 2 décembre 2014.

Toujours dans le but d'alléger l'impact psychologique de ce sinistre coup de fil, et aussi parce que ma température corporelle avait pris un sacré coup sous les nuées d'eau glaciale et infatigable pendant une heure, je me réfugiai sous la douche, et confiai mon corps à un jet d'eau à peine trop chaud...

3

Il me fit répéter ce que je lui avais expliqué deux heures plus tôt puis me demanda la vérité.

— Ah mais… *c'est* la vérité ! dis-je embarrassée et désapprouvant une fois de plus mon geste.

— Arrête… Allez : c'est quoi ces conneries ?!

— Je sais, ça a l'air fou… Mais tu ne te souviens pas d'avoir donné ce papier à quelqu'un… ?

— Pas du tout… !

— C'est pourtant bien ton nom et ton numéro apparemment… Écoute. Je me sens mal… C'était stupide. Excuse-moi de t'avoir dérangé… Oublie cet appel, d'accord ? Je suis désolée, vraiment, c'était ridicule… Je… Je vais te laisser.

— Non, attends ! Ne raccroche pas déjà, c'est trop facile ! Il ne faut pas se dégonfler comme ça, mademoiselle…

Se faire appeler mademoiselle quand on n'a plus onze ans. J'ai toujours eu du mal avec ce mot. Je ne le lui ai pas dit, mais je me suis défendue.

— Je ne me dégonfle pas… Écoute… J'ai été portée par la folie en t'appelant mais maintenant que ma raison est revenue, c'est avec elle que je vais raccrocher et te laisser tranquille. Les coups de tête, les erreurs, les moments d'égarement… ça peut arriver. Alors… bonne soirée. Encore désolée… C'était stupide et fou. Mais j'ai vraiment trouvé ton numéro dans un livre emprunté à la bibliothèque. Bref… Bonne continuation…

Il aurait pu, il aurait dû me répondre, après avoir ri de bon cœur, que j'avais raison, que j'étais folle, et qu'il me souhaitait une « bonne continuation » également. Nous aurions raccroché et voilà. Mais non. S'il a effectivement ri de bon cœur, il m'a plutôt demandé, juste après :

— Et sinon… est-ce que ton prénom est aussi charmant que ta voix… ?

Saperlipopette.

— Mon prénom… ? Euhhh… Si tu as une attirance pour les impératrices russes… sûrement que oui… ? dis-je alors que ma voix rougissait.

— Euhhhhhh… Les *impératrices russes*… Ça c'est une question que je ne m'étais jamais posée.

Son « Euhhhhhh » fut plus long que le mien ; ma réponse était manifestement plus déstabilisante à entendre qu'à formuler. Pas eu le temps de me sécher entièrement : mes cheveux, ruisselants et mousseux, étaient plaqués sur mon crâne. Il fallait que je tienne mon téléphone à un bon centimètre de mon oreille, dégoulinante elle aussi – pratique lorsque l'on possède un téléphone dont la puissance du volume laisse, à la base, à désirer.

Un bref coup d'œil dans le miroir me rappela la photo de ma cousine et moi jouant dans le bain, lorsque j'avais huit ou neuf ans. J'aime beaucoup cette photo, mais prendre l'appel de Jean-Philippe alors que je me lavais les cheveux était une décision de merde. J'ai développé avec les années une technique qui s'avère particulièrement efficace : être toujours bien arrangée lorsque je dois passer un coup de fil qui me stresse. Cela me donne confiance en moi. Inutile de préciser que je n'appliquais absolument pas ce principe de vie en répondant à cet appel.

Tout en m'enroulant péniblement dans une serviette sans toutefois laisser transparaître la difficulté que je traversais, je répondis que je m'appelais Catherine, ce qui est la vérité.

— Catherine… Très joli. Par contre je n'ai pas nécessairement d'attirance pour les impératrices russes. Même que je me branle royalement des impératrices russes, dit-il avant de rire à nouveau. Alors Catherine… Qu'est-ce que je peux faire pour toi ? Vas-tu me dire qui tu es et pourquoi tu m'appelles… ?! Ou tu veux absolument raccrocher… ?

Il se « branle » des impératrices russes. Il s'en « branle ». Et « royalement ». Ça tombe bien : moi aussi. En effet, ce n'est pas parce que mon grand-père paternel me surnommait *Catherine de Russie* lorsque j'étais enfant que j'ai plus tard développé un quelconque engouement pour les tsarines du XVIIIe siècle. J'ignore d'ailleurs pourquoi je lui ai sorti ça d'entrée de jeu ; « Catherine » aurait amplement suffi. En revanche, je suis d'avis que ses réponses manquent un peu d'élégance, et que le diagramme circulaire de sa personnalité doit être bien différent de celui des autres Jean-Philippe que j'ai connus.

— Eh bien… comme je te disais, je suis tombée sur ton numéro vraiment par hasard et… il m'a… interpellée. Enfin, pas ton numéro, mais… le papier sur lequel étaient écrits ton nom et ton numéro en fait. Je me suis dit que bon, puisque j'aimais ton prénom, ton écriture et le fait que tu saches correctement écrire le verbe *appeler* à la 2e personne du singulier de l'impératif présent, ça pourrait être... intéressant que je te téléphone... Pour... faire connaissance en fait... Qui ne tente rien n'a rien, n'est-ce pas... ? Mais... j'ai l'air folle... Je le suis probablement d'ailleurs... Laisse tomber, vraiment...

Il rit à nouveau, avec assurance, toujours. Il y avait au moins ça : je le faisais rire.

— C'est quoi cette h.i.s.t.o.i.r.e ?! Allez, crache le morceau, *please*. Attends... ! J'ai tout compris. Tu es l'amie de Fred ?! Sa fameuse amie... ! Écoute je suis désolé qu'il insiste comme ça... Je ne lui ai jamais demandé de faire ça !

— Mmmm... Non... Je ne suis pas une amie de Fred... Je ne connais pas de Fred...

— Ah bon... ? OK. Qu'est-ce qui est écrit, exactement, sur ce papier ?

— « Jean-Philippe, 514555-2062. Appelle quand tu veux ! »

— Je ne comprends pas... dit-il après quelques secondes, dont je suppose qu'elles furent occupées à la réflexion.

— Vraiment... ? Mais... tu es bien Jean-Philippe... ?

— Ah oui, affirmatif ! C'est bien moi.

Bon sang que je me sens minable. Si les dictionnaires pratiques viennent un jour faire concurrence aux théoriques, merci de me consulter pour les mots tels qu'*embarras*, *stupidité* et HONTE. Mes définitions sont aussi explicites qu'accessibles.

Bon sang que je ne suis pas dans les dispositions idéales pour un échange téléphonique. Pas dans les dispositions nécessaires à l'épanouissement de ma subtilité, de ma finesse d'esprit pourtant réputée. J'ai besoin d'un bon thé bien chaud, ou plutôt d'un violent whisky bien froid, mais avant tout je souhaiterais vraiment me rincer les cheveux et reprendre mes esprits. Il faut aussi que je réponde au texto de Bénédicte : non, je ne pense pas qu'il soit indécent de proposer à Christian « un petit café au café du coin ». Je pense même que c'est un devoir. Cet individu a de toute évidence ce que l'on appelle un zizi, et il est grand temps de découvrir si ce dernier est aussi passionnant et inépuisable que le sujet de discussion favori de son propriétaire. Opération Zizi, Bénédicte. OPÉRATION ZIZI !

Bon. Trouver une excuse pour raccrocher. Jean-Philippe ignore ma situation actuelle, et je n'ai aucunement l'intention de lui avouer que j'ai interrompu ma douche pour lui : j'aurais l'air d'une pauvre fille fébrile et tout à fait désespérée. Du reste, cette discussion ne me semble pas parfaitement loyale... Il a probablement pris un petit verre d'alcool pour se détendre avant de m'appeler, et son derrière doit confortablement reposer dans son canapé. Mon sang à moi ne contient que ses quatre éléments habituels – des globules rouges, des globules blancs, des plaquettes et du plasma –, ce qui n'aide en rien à la détente, juste à la survie. Quant à mes fesses, elles sont encore un peu mouillées et dans l'impossibilité de se poser de toute façon : depuis quand une femme ayant au bout du fil un homme qui la rend nerveuse peut parler en position assise ? Je dois me rappeler d'envoyer une sévère plainte à mon magazine préféré. Il embauche un astrologue qui prédit des journées marquées par la réussite à ses lecteurs quand celles-ci se révèlent être une combinaison d'humiliation et de malaises. Des journées de merde, quoi.

— Ah... Écoute Jean-Philippe... je suis désolée mais cette fois c'est moi qui ne peux pas te parler : je dois aller chercher mon frère à l'aéroport... ! Je... Est-ce que je peux te rappeler ?

— Oui, OK... Vraiment tordu ton truc en tout cas. Je sais pas d'où tu sors ni qui tu es, mais si c'est une blague, ce serait bien de me le dire avant qu'on raccroche, non ?

— Non, pas du tout, je t'assure ! Tout ce que je t'ai dit est vrai. Je sais que c'est une histoire de dingue... J'ai eu un bon feeling en tombant sur ton papier alors je me suis lancée... Bref... C'était stupide... Mais... je te rappelle très bientôt. Bonne soirée !...

— À toi aussi, Catherine de Russie...

4

Lorsque je répondis à la réceptionniste que c'était pour exhumer mon sex-appeal, il y eut un minisilence, suivi d'un « Pardon… ?! » qui ne respirait ni l'intelligence ni la courtoisie. Je rectifiai, donc, annonçant que c'était pour des mèches et une coupe. J'ignore si elle connaissait la définition du verbe « exhumer », mais je me souviendrai d'une chose : ce n'est pas parce que je trouve une métaphore sympa qu'elle va amuser, ou même être comprise de tous. Je dois également dire à Bénédicte que sa réceptionniste manque cruellement d'humour, de culture et de gracieuseté. Que c'est une petite connasse malpolie. Finalement si, je suis bel et bien vexée.

Le samedi suivant, en arrivant au salon, une sublime réceptionniste brune avec un grain de beauté à la place du cerveau et des rétroviseurs à la place des lunettes me réceptionna. Je lui dis que j'avais rendez-vous avec Bénédicte à 11 heures ; elle m'invita à enlever mon manteau et à m'asseoir. J'ignore si c'est elle qui avait pris mon appel quelques jours plus tôt ; les réceptionnistes ont toutes la même voix.

Ce qui est bien quand on porte un prénom courant, c'est qu'il n'attire pas l'attention. Ainsi ma copine coiffeuse a-t-elle été parfaitement surprise lorsqu'elle me vit.

— Ah ben ça alors ! Je m'attendais à coiffer une Catherine, mais pas *ma* Catherine !

— Je me suis dit qu'il était temps que j'exhume mon sex-appeal…

Cette fois-ci ma métaphore fut comprise et fonctionna.

— Comme ça on veut changer de couleur ET de coupe après toutes ces années ? Premièrement je veux savoir le nom du gars en question. Et puis deuxièmement, quelle coupe et quel genre de mèches tu voudrais.

— Jean-Philippe, carré avec frange, mèches blondes très fines un peu partout.

— *Oh. My. God.* T'es consciente que tu as depuis des années les cheveux longs, châtains et que tu n'as pas de frange ?

— Absolument. Je t'ai dit que je voulais redevenir attirante. Je veux changer de tête. Complètement. Décolore et coupe-moi tout ça.

Par souci d'économie et de santé capillaire, j'avais cessé les mèches blondes dans mes cheveux depuis plusieurs années. Je les laissais au naturel, et je les laissais pousser. Ils habillaient désormais toute la partie supérieure de mon dos, comme un long rideau bien sage et un peu fade. Oui, j'avais le cheveu tristounet, mais en bonne santé et économique. On dit qu'il faut souffrir pour être belle ; je crois surtout qu'il faut débourser. Faire tourner les salons de coiffure, d'esthétique, les boutiques de fringues et de chaussures.

Samedi matin oblige, Bénédicte ne pouvait se permettre de bavarder comme nous avions l'habitude de le faire hors salon. Après lui avoir fait comprendre que sa psychologie de coiffeuse ne m'intéressait pas, que mon choix était mûrement réfléchi et que le résultat serait entièrement assumé – magnifique, surtout –, elle se retira dans son laboratoire afin de préparer la potion magique, la précieuse mixture qui transforme n'importe quelle chevelure quelconque en une crinière sexy et dotée de pouvoirs magiques : l'augmentation de l'estime de soi et des regards masculins. Et puisque l'un entraîne l'autre, je considère qu'il s'agit finalement d'une somme bien investie.

Pas envie de lire mon bouquin en cours – les moteurs de sèche-cheveux étant de toute façon incompatibles avec les préceptes nourrissant les livres de développement personnel – ; je pris un des premiers magazines de la pile bien ordonnée devant moi. En bonne et méthodique lectrice que je suis, je commençai par consulter le sommaire : la page 27 m'interpella tout de suite.

Très vite, ma lecture s'accompagna d'un petit sourire gêné… Qui es-tu, jeune effrontée qui sait faire les nœuds comme personne ? Je suis très intriguée… Si tu es ma voisine de droite, celle avec le sarouel couleur sable et vraiment trop ample, bien qu'il s'agisse tout de même d'un sarouel, tu caches sacrément bien ton jeu car ton look hippie-chic écarte d'emblée toute suspicion de propension à l'amour un peu… folklorique. Un peu vorace. Bref : tu n'as pas l'air cochonne. Du reste, on ne porte pas de sarouel en décembre. Il fait froid.

Qui que soit cette personne qui a osé prendre son stylo pour répondre au test, je lui lève mon chapeau. À moins qu'elle ne l'ait rempli seule, chez elle, et qu'elle ait ensuite fait cadeau de son magazine au salon de coiffure. Dans ce cas, il s'agit probablement d'une des employées, et alors elle n'a pas grand mérite, car moi aussi je peux répondre à des questionnaires sur mes aptitudes et habitudes sexuelles sans rougir – *tant que je suis seule chez moi.*

En présence d'inconnus c'est différent : j'en suis incapable. Viscéralement incapable. Je vire au rouge pivoine et je ricane dans ma barbe comme une gamine de douze ans. Je vire au rouge pivoine car je ricane et je ricane car je vire au rouge pivoine.

Le problème n'est pas que je sois coincée du derrière ; le problème est que l'on me suggère, alors que je suis entourée d'individus que je ne connais point, des positions sexuelles à essayer dans la baignoire ou sur la machine à laver, à l'aide de dessins, de photos, et d'explications ultra-précises, ultra-pédagogiques et divertissantes.

L'on m'enseigne comment sucer un pénis, des testicules, un mamelon masculin avec aisance et brio, sans faire mal avec mes dents ; comment interagir avec un anus qui n'est point le mien, tandis que la cliente sur ma gauche raconte à son coiffeur l'hospitalisation d'un proche dans les moindres détails. Comment pourrais-je avoir l'air d'un poisson dans l'eau avec ce magazine entre les mains ?

Et ce questionnaire alors !?! Cette quinzaine de questions indiscrètes et amusantes qui, si j'y réponds honnêtement, détermineront si oui ou non je suis une bête au lit…

Il commençait par une question sur les nœuds, que je n'ai pas eu le temps ni le désir d'apprendre par cœur, mais qui ressemblait à ceci : « Lorsque vient le temps d'attacher votre homme aux barreaux du lit, vous êtes :

a. la pro des nœuds

b. mal à l'aise puis très à l'aise

c. définitivement incompétente »

Le « a » était donc coché et ma capacité à me contenir, alors bien infidèle il faut dire, ne réussit pas à supplanter ma gêne : je n'ai pas lu la suite des questions. Trop honteuse. Trop honteuse d'avoir simultanément le sourire aux lèvres et un questionnaire coquin sous les yeux, avec pour voisin de page un minitraité admirablement bien illustré sur les positions sexuelles inusitées.

Ma copine coiffeuse revint munie et habillée de tout son nécessaire, et m'informa qu'elle avait pris mon texto de l'autre jour à la lettre : Christian l'attendrait dans un resto ce soir même, à 19 heures. Elle comme moi ignorions encore si c'était Opération Zizi, mais c'était au moins Opération Rendez-vous ailleurs que sur une chaise de salon de coiffure, et c'était déjà synonyme de progrès.

Histoire de mettre toutes les chances de son côté, Bénédicte avait décidé qu'elle arriverait avec treize minutes de retard. Moins, ça ne faisait pas assez décontracté ; plus, ça faisait trop décontracté. Enfin, c'était son point de vue.

Le menu du restaurant ne comportait plus de secrets pour elle ; le site Internet le présentait dans sa totalité et son choix était déjà fait. Elle sait par expérience que la nervosité la prive de ce bref mais indispensable instant de recueillement nécessaire à l'étude d'une carte de restaurant. Un peu comme moi quand j'ai très faim… Elle illustra cette forme momentanée d'illettrisme avec brio : en présence d'un homme séduisant et pas encore officiellement sien, les lignes du menu se ressemblent toutes, se superposent toutes, se mélangent toutes, pour ne devenir qu'une bouillie indéchiffrable semblable à ce qui se passerait dans son estomac au moment du départ vers le resto, qu'une succession de mots dont l'échantillon le plus représentatif serait « Délicieuxbœuf metrouvetilbelleavecmarobe-bourguignon-mondieuque sonregardmeperturbe-accompagnédunevoixpénétrante-depetitespatatessautées-pardon-estcequejelautoriseà-meramenerenvoituretoutàlheure-revenuesdansunbeur-reaupersil. »

— Tu as bien fait d'aller regarder le menu à l'avance. Ça doit au moins être le frère de Lambert Wilson pour te mettre dans cet état… !? Tu vas prendre du bœuf bourguignon ?

— Non, c'était juste pour l'exemple. Je vais prendre un potage en entrée et en plat principal, de la bavette de bœuf. Il y a aussi des légumes en accompagnement, dit-elle en calant une nouvelle feuille de papier d'aluminium sous une nouvelle mèche de cheveux.

— Ouf ! Me voilà rassurée ! lui répondis-je en mimant un smiley content. C'est important, les légumes… !

— Tu penses que ça va donner quelque chose… ?

— Hummm… C'est difficile à dire… Je ne le connais pas… Par contre c'est évident que tu l'attires, sinon il ne viendrait pas ici aussi souvent ! En tout cas ne te stresse surtout pas : tu ne peux pas te pointer avec treize minutes de retard mais être ultra-tendue. Ça ne colle pas. Soit tu gères ta nervosité et tu arrives effectivement avec treize minutes de retard ; soit tu n'y arrives pas et tu te pointes avec une demi-heure d'avance, histoire de te détendre avant de l'avoir en face de toi.

— Mouais… T'as raison… Ben… Vaut mieux que j'arrive avant lui alors. *My god*... Je suis grave quand même !…

— T'inquiète pas… Ça va aller. C'est évident que tu lui plais ! Et puis tu es belle et drôle. Aie confiance. Je tiens à avoir tous les détails quand vous ne serez plus ensemble en tout cas. Dis donc… si je n'étais pas venue faire exhumer mon sex-appeal, tu ne m'aurais même pas parlé de ton rendez-vous de ce soir, finalement… !

— Ben… Je voulais attendre de voir ce que ça allait donner. Après j'aurais décidé si je t'en parlais ou non…

— Ah…

— M'en veux pas, hein… Mais j'avais pas envie de perdre la face si je ne l'intéressais pas… Et ce Jean-Philippe, raconte-moi ! C'est qui… ?!

— Tu vas me prendre pour une *sacrée* folle… !

Et je lui racontai toute l'histoire. Elle confirma ce que je savais déjà – c'était complètement dingue que j'aie appelé ce type, j'étais « grave », etc. – et me rappela que je devais me rappeler que j'avais dit que j'allais chercher mon frère à l'aéroport en guise d'excuse pour raccrocher précipitamment l'autre soir. Elle a raison, je devais garder en tête ce mensonge lors de nos prochaines discussions.

5

Je suis donc censée avoir un frère...

J'ai un frère.

J'ai un frère.

J'ai un frère.

J'ai un frère.

Je dois lui trouver un prénom.

Un âge.

Un emploi.

J'ai un frère qui s'appelle Édouard. Non, Gérard. Non, Gaspard. Non : Pierre.

J'ai un frère qui s'appelle Pierre et qui a trente-neuf ans. Oui, nous avons six ans d'écart. Ça passe bien, six ans. Ça fait crédible. Bien sûr, c'est mon aîné, car je n'ai pas encore – Dieu merci ! – quarante-cinq ans.

J'ai un frère, Pierre, qui a trente-neuf ans, et qui est fleuriste.

Non. Concepteur de programmes informatiques.

Non. Prof de sport.

D'équitation.

Non, de ski.

Non, médecin.

Oui : médecin !

Médecin humanitaire !

Oui c'est *parfait* ça. Comme ça, ça justifiera le fait qu'il ne le rencontrera jamais. Mais que je suis futée ! Ah mais merde… Jean-Philippe est peut-être médecin humanitaire lui aussi – enfin lui tout court –, et c'est peut-être un petit milieu, l'humanitaire… Peut-être qu'ils se connaissent tous et qu'il va me dire qu'il n'a jamais entendu parler d'un « Pierre Bagnard »… ! Mais quelle conne je suis… ! Je ne pouvais pas dire que je n'avais plus de batterie, ou bien un autre appel, comme tout le monde !?!

Des dizaines de feuilles de papier d'aluminium et de coups de ciseaux plus tard, j'étais métamorphosée et aux anges : les salons de coiffure sont décidément thérapeutiques, je suis décidément mieux en blonde. Et je me retrouvai alors aux prises avec ce que je me plais à nommer *le syndrome Jennifer Aniston*. Oui, car moi, depuis toujours, lorsque je sors de chez le coiffeur, je me la pète, je me la joue, je fais ma belle, ma star, et des mouvements de tête inhabituels tellement mes cheveux me viennent dans le visage. Tellement je ne suis pas accoutumée à avoir du volume sur la tête. Bref, *je me prends pour Jennifer Aniston*.

Mon dédoublement de personnalité survient à l'instant même où la coiffeuse appuie sur le bouton de son sèche-cheveux pour l'éteindre. Immédiatement je me trouve magnifique et suis persuadée que tout le monde dans le salon me regarde du coin de l'œil en bavant : clientes/clients, coiffeuses/coiffeurs, mannequines sur les affiches L'Oréal/mannequins sur les affiches Jacques Dessange, et même Jacques Dessange en personne, pro-bablement occupé à tirer sur sa cigarette derrière les grandes fenêtres du salon tout en fouillant ses poches à la recherche de son téléphone.

Son assistante Claudia doit en effet être mise au courant de la situation sur-le-champ : Jacques me trouve époustouflante et me veut dans sa prochaine pub télé. Les points noirs et la cellulite seront coupés au montage – il n'y a pas de problèmes il n'y a que des solutions.

En multipliant des simagrées bien involontaires, je me dirige donc vers le comptoir pour payer, habitée, squattée, envahie à mon insu par cette certitude que la terre entière me regarde et voudrait avoir de beaux cheveux comme moi.

Bénédicte est déjà avec une autre cliente et j'ignore si elle a remarqué que je suis à présent une vedette hollywoodienne. Je retourne rapidement lui donner un baiser sur la joue en la remerciant à nouveau, en lui disant que je vais penser à elle ce soir, et file vers ma voiture. L'imposture se poursuit une fois quittés les effluves de shampoing et d'ammoniac, et je crois que Jennifer Aniston m'a enfermée à double tour dans les toilettes du salon, avec mon ancien et long rideau bien sage et un peu fade.

Elle marche à présent vers ma voiture.

Non, non, pas d'autographe, madame, je suis pressée !

Mais où donc est mon garde du corps ? Celui avec les petits pieds ?

Monsieur Dessange, vous n'avez plus vingt ans ; arrêtez donc de fumer !

Mince ! Où diable ai-je foutu mes clés ?!

Le rétroviseur fait une overdose de ma tronche avant même que j'aie tourné le premier coin de rue, et tous les automobilistes de la métropole ont les yeux rivés sur moi. Ma beauté les obnubile, je rends les gays hétéros, les femmes hétéros lesbiennes, les bisexuelles entièrement lesbiennes, et ta copine jalouse.

Hop ! Nous voici déjà à la maison. Allez, encore quelques secondes de vedettariat : tous les voisins de la rue sont forcément planqués derrière leurs fenêtres afin de m'admirer et il serait quand même dommage d'interrompre une si belle aventure.

Je continue donc à me la péter jusqu'à la porte d'entrée de mon immeuble, avant de rendre un deuxième miroir irritable : celui de ma salle de bains. Dix minutes de contemplation et d'esquisses capillaires pour apprécier les différentes possibilités qu'offre ma nouvelle coupe. Merde. Une mèche blonde laisse à désirer… On voit le coup de pinceau… Ouf. Elle n'est ni devant ni à proximité de ma raie.

Je cesse finalement de harceler mon miroir, j'arrête de triturer mes cheveux, et je me bricole un truc à manger en écoutant ma petite télé. Ça ne s'invente pas : il y a un film avec Jennifer Aniston qui vient de commencer.

Françoise Sagan aurait-elle aimé les films avec Jennifer Aniston ? Et Jennifer Aniston, a-t-elle déjà eu une relation sexuelle sur une machine à laver ? Je crois que Claudia était une bonne idée de nom pour désigner l'assistante fictive de Jacques Dessange. Mais, Catherine de Russie, tout le monde se fout magistralement de ta nouvelle coupe…

6

Minuit, toujours pas de nouvelles de Bénédicte, je commence à m'inquiéter un peu…

Minuit trente, toujours rien non plus…

Minuit quarante-cinq : enfin un texto ! Trop fatiguée pour m'appeler, m'apprend-elle, elle préfère que je passe chez elle demain pour tout me raconter. Ça s'est « bien passé !! » Les deux points d'exclamation sont formels : il ne la voyait pas comme une future partenaire de bowling depuis toutes ces semaines.

Le lendemain je me rends chez elle malgré la grosse journée de ménage que je m'étais prévue : elle n'a ni la gueule de bois ni l'odeur de Christian dans ses cheveux. Elle commence à me raconter sa soirée : une énième discussion sur la politique.

— Et c'est encore tout ?
— Eh ben… non… !
— Comment ça ?! Poursuis, poursuis !
— Ben j'ai accepté qu'il me raccompagne en voiture.
— Inconsciente !
— Je sais… Mais ça en valait la peine… !
— Je veux tous les détails.

— Quand on est arrivés devant chez moi, on n'est pas tout de suite sortis de la voiture… Il m'a dit qu'il avait envie de m'embrasser, alors j'ai répondu : « Moi aussi, j'en ai hyper envie… » Et on s'est embrassés. Ensuite il a commencé à me faire un truc bizarre sur la jambe.

Bénédicte se rapprocha de moi pour imiter sur ma propre jambe ce que Christian lui faisait. Il s'agissait de petits mouvements circulaires et incessants sur le genou, qu'il effectuait du bout des doigts, et dont la direction alternait constamment : sens des aiguilles d'une montre, puis dans l'autre sens. Sens des aiguilles d'une montre, puis dans l'autre sens. Et ainsi de suite. J'explosai de rire.

— Tu te fous de moi là ?!

— Non, j'te jure ! Et moi je n'osais rien dire, même si je trouvais ça vraiment bizarre… Après il a commencé à monter ses doigts un peu plus haut, jusqu'à mon entrecuisse… Comme ça.

— Qu'est-ce que tu fais… ?

— Ben… je caresse ton entrecuisse. Tu peux me dire d'arrêter si ça te dérange… Je voulais juste que tu comprennes bien la scène.

— Euhhh… c'est bon… Tu peux continuer…

Puis elle alla plus loin…

Ce qui nous servait depuis toujours à nous raconter nos histoires de cœur, nos problèmes, nos délires, avait pour la première fois une tout autre vocation : Bénédicte mangeait ma bouche. Elle la mangeait comme elle m'aurait préparé un capuccino dans sa machine hors de prix et compliquée – en toute simplicité. Stupéfaction totale de mon côté ; j'étais loin de me trouver aussi à l'aise que si je buvais un café avec du lait et de la mousse à la surface. Je la laissai faire, trop déstabilisée pour avoir une quelconque réaction. Et puis ce n'est pas comme si elle était à vomir... Je crois que le corps humain ne rejette que les mauvaises choses, comme un surplus de vodka ou le parmesan périmé, mais rien qui s'apparente à une rousse propre, avenante et bien proportionnée.

C'était une première pour moi. Un baptême de l'amitié qui s'hypertrophie sans prévenir. Et je ne savais pas trop comment me comporter... Comme une femme délicate ? Comme un homme entreprenant ? *La bisexualité pour les nuls*, s'il vous plaît, je suis paumée !

L'Opération Zizi avait manifestement échoué, sinon pourquoi me sauter dessus après toutes ces années ? En tout cas je comprends maintenant les hommes qui chérissent les gros seins... C'est vrai que c'est sympathique... Plaisant à toucher... C'est *convivial*. Oui voilà. *C'est convivial. Les gros seins sont conviviaux.*

Bénédicte sortit sa langue de ma bouche deux petites secondes ; elle désirait que je m'allongeasse sur le canapé. N'y voyant pas d'inconvénients et encore moins de danger imminent, j'obtempérai. J'ignore ce qui guidait cette soudaine ouverture, puisque mon truc à moi c'est les hommes, depuis toujours, mais je m'ouvrais, dans tous les sens que peut englober le verbe s'ouvrir ; mon esprit acceptait la situation sans lutter ; mon cœur se laissait aller sans imaginer le pire comme il avait pris l'habitude de le faire depuis deux ans face à toutes prémisses de prélude de balbutiement de relation amoureuse ou sexuelle ; jambes, bouche, doigts, ouverts, accueillants, réceptifs, ne perdant rien du moment, ne perdant rien de cette fille qui n'est ni ma meilleure amie ni l'homme de ma vie, ne perdant rien de la chaleur de son corps entre mes cuisses, du goût de sa salive dans la mienne, de la douceur de ses cheveux interminablement longs et roux : ouverte.

Open.

Abierta.

Aperta.

Elle ôta mon pantalon, puis le sien. Elle me demanda de me mettre à genoux et me cala un dauphin gonflable sorti de nulle part entre les jambes. Elle se plaça derrière moi et commença à frotter son sexe contre le cétacé en m'attrapant par les hanches. « Suis mon mouvement, je veux qu'on jouisse ensemble. » J'obéis, toujours dans la même optique : sans rien comprendre de ce qui m'arrivait.

Je chevauchais une reproduction de mammifère marin à moitié nue, une amie d'enfance me mettait des coups de reins dans les fesses, et j'aimais cela. Essoufflement et excitation obligent, nous gémissions inconsciemment. Qui a dit qu'il fallait se faire le contour des lèvres au Crayola et beugler comme un bœuf musqué pour faire un bon film porno ?

— Ouf… ! Qu'est-ce qui se passe… ? demandai-je étourdie et ralentissant la cadence.

— Défais ma tresse… J'ai oublié de te rendre ton élastique… dit-elle avec une sensualité que je ne lui connaissais pas.

— Sommes… Sommes-nous toujours en train de mimer la scène d'hier soir… ? Entre toi et Christian… ?

— Il n'y a pas de Christian. Juste Cath et Béné…

— Qu'est-ce qui s'est passé avec lui… ?

— Je veux des croquettes…

— Quoi ?… Des croquettes ?… Mais…

Bénédicte se mit à frotter son front contre ma joue et à… miauler.

— Qu'est-ce que tu fais ?! Arrête… ! Bénédicte… !! Tu me chatouilles avec tes moustaches !

— Miaaaow… !

Luc était en train de se frotter contre mon visage, sa gamelle était probablement vide, ou sa litière pleine, bref le coquin venait de me réveiller alors que je m'apprêtais peut-être à découvrir un grand secret que toute femme devrait connaître : les dauphins gonflables sont multifonctionnels.

Je m'assis au bord du lit. Il était 9 h 20. Je pris tout de suite mon téléphone sur la table de chevet ; un message de Bénédicte m'attendait depuis une heure. « Alors ? Quand est-ce que tu viens ? J'ai hâte de te raconter ma soirée !! »

C'est l'esprit libre de tout scrupule que Luc se laissa gratter les mâchoires pendant quelques minutes, par une maîtresse aussi sonnée que comateuse. En lissant le petit triangle de poils blancs sur son front, je me rendis compte d'une chose : j'étais encore capable d'être excitée. En témoignait mon petit mécanisme féminin, indiscutablement huilé et appareillé pour le décollage… qui n'aurait hélas pas lieu.

— Oncle ? Les nouvelles ? Papa ?

Bénédicte se mit à frotter son front contre ma joue et à... minuter.

— Où est-ce que tu l'as ? Arrête... Tu m'étrangles. Il l'a mis chatouilles avec les moustaches...

— Maman...

Les étaient grands, ses... Belle... Godemol... avait... ma... annelle était probablement gaspillé par la pharmacie. Il tira le coquin venant de nerf... effet incolage, je m'apprêtais pendant à décou... mi... image et alerte. Des toute femme devait compâtre : les... hins semblables sont mutifonctionnels...

Je m'assis au bord du lit. Il était 9 h 20. Je posai le téléphone sur la table de chevet, consultai de Bénédicte m'attendait depuis une heure de... Quand est-ce que tu viens ? J'en... de te retourner... son... la...

C'est l'esprit libre de tranquille que Big se mise... gratter les matières pendant plusieurs minutes. J'aime... maître se aussi source qui commençait... En fin... le petit tronc de poils blancs sut sur dans... ne... rendre compte d'une chose : j'étais encore capable, d'une certaine... En témoignant mon pour... me... se... Femme... infiscutablement c'une chi appareille pour le décortiquer qui n'aime pas les pas lieu.

7

Effectivement, ça avait fonctionné entre Bénédicte et Christian. Ils avaient terminé la soirée chez elle et remettraient ça très bientôt. Mon rêve m'avait poursuivie jusque dans son appartement, mais je fis le choix de ne pas le lui raconter, elle en aurait ri, ri comme une folle, tandis que moi j'étais encore bien ébranlée. Je n'étais pas non plus subitement tombée amoureuse d'elle, mais j'étais troublée. Il fallait juste que ça passe… Non, c'était plutôt à elle de me raconter quelque chose. Qu'elle fût une fois de plus emmerdante ou rocambolesque, son histoire aurait au moins le mérite d'être réelle. Et de me changer les idées.

Christian était divorcé et père de trois enfants ; j'ignore si elle réalisait dans quoi elle s'embarquait. Christian était si drôle, si intéressant… ! Je ne pouvais pas m'imaginer à quel point… ! Et c'est vrai que je me l'imaginais avec difficulté.

— Est-ce qu'il avait les cheveux propres au moins ? Il a été capable de les laver tout seul avant le rendez-vous ?

Elle explosa de rire. Je ne lui en demandais pas tant, mais ça me fit plaisir.

— Oui, ils étaient hyper propres ! Hey, tu sais pas quoi !?

Elle me pointa un bouquet de fleurs sur la table et me laissa deviner.

— Ah ! Ça, j'aime.

C'était bien la seule touche de couleur dans ce logement. Bénédicte vit seule dans un appartement neuf, spacieux et épuré ; elle préserve son intimité avec des rideaux blancs, blancs dans toutes les pièces ; son canapé est gris foncé et, même si elle n'y a jamais mis les pieds et qu'elle ignore ce qu'est l'Empire State Building, il y a au-dessus de ce canapé une immense photo de New York, avec l'Empire State Building bien en évidence. Elle est encadrée sobrement et a probablement été achetée chez Ikea.

Au-dessus de son évier, sur le rebord de la fenêtre, il y a trois petits pots blancs et rectangulaires, avec des plantes artificielles à l'intérieur, probablement inspirées par des poils de balai de sorcière et la coupe de Buzz dans *Maman, j'ai raté l'avion*. C'est la grande mode, les plantes artificielles minimalistes et petit format. C'est la grande mode et je ne comprends pas.

Sur son grand îlot de cuisine blanc laqué auquel je suis d'ailleurs accoudée, il y a un saladier rempli de pommes et de pamplemousses bio. Perso j'ai plutôt des bananes et des oranges. Ses armoires de cuisine sont marron foncé, avec de longues poignées verticales en métal brossé, sa hotte de cuisinière est aussi large que ma baignoire est longue, et si un jour je passe le week-end seule chez elle pour une raison que j'ignore encore, la complexité de son système audiovisuel aura raison de moi. Elle mange des fruits et légumes bio mais ses prises électriques sont occupées par des diffuseurs d'odeurs au parfum beaucoup trop prononcé et aux composantes beaucoup trop cancérigènes. Finalement, une fois que le bouquet de Christian aura fané, ses cheveux demeureront la chose la plus attrayante de l'appartement.

Elle se mit à faire beaucoup de bruit en sortant les assiettes de son lave-vaisselle et je lui signalai quelque chose que j'avais déjà constaté la veille : son teint avait changé. Elle était plus pâle que d'habitude, bien qu'animée par un enthousiasme à vif. Elle avait renoncé à l'autobronzant qui lui servait de tapisserie charnelle depuis des années et on redécouvrait, avec un chouette étonnement, sa carnation naturelle et si délicate. C'était l'*effet Christian*. Christian lui avait simplement dit que ce qu'il aime par-dessus tout chez les rousses, c'est leur peau laiteuse. Je trouvai le stratagème fantastique et découvris alors un Christian que je ne connaissais point, et pour qui j'eus immédiatement beaucoup d'estime. Puis elle m'expliqua que l'Opération Zizi avançait bien. Il me fallut davantage de détails.

— Il y a eu des baisers et beaucoup de tendresse, mais… on n'est pas allés plus loin… Il m'a dit qu'il ne voulait pas aller trop vite, qu'il me respectait beaucoup, et qu'on avait tout notre temps… Tiens, j'ai pensé à toi l'autre jour, je t'ai acheté du thé. C'est aux châtaignes. Je sais pas du tout si ça va être bon, mais je me suis dit que ça te ferait plaisir.

Je pris la boîte qu'elle me tendit.

— Oh, merci ! Aux châtaignes ? Très original ! Je n'ai jamais essayé. Merci, tu es gentille. Écoute, je suis ravie pour toi en tout cas. Et que fait-il dans la vie ?

— Il est fondateur et P-DG d'une entreprise qui fabrique des meubles en bambou. C'est hyper beau ! Il m'a montré des photos sur son site Internet.

— Ah, intéressant ! Alors… ? Vous allez vous revoir bientôt ? demandai-je en humant, agréablement surprise, un sachet de thé aux châtaignes.

— Oui ! Il m'a dit qu'il me rappellerait *très vite*. Et il m'a déjà écrit un petit mot hier soir, en arrivant chez lui. Il disait qu'il avait adoré notre soirée et ma compagnie ! Et il m'a demandé si j'allais être vexée qu'il ne vienne plus se faire laver les cheveux toutes les semaines, car maintenant il préférerait me voir dans d'autres circonstances. Haha ! Il me fait tellement rire !

— Et tu y es allée avec du vernis sur seulement un pouce ? C'est la nouvelle mode ?

— Ah ! Non, non, ça c'est parce que tout à l'heure je me suis fait un smoothie aux légumes et je voulais mettre une photo de ma main qui tient le verre sur Instagram.

Je fis un mouvement de tête vers le haut accompagné d'une expression faciale qui voulait dire *Ahhhhh, OK…*

— Mais je vais l'enlever tout à l'heure.

Finalement, je m'étais peut-être trompée sur ce Christian…

PARTIE
3

1

Une semaine plus tard.

« Salut, Catherine, c'est Jean-Philippe. Le gars… de la *bibliothèque*. Tu m'as pas rappelé, alors… j'espère que tout va bien… ? J'ai aimé notre petite discussion l'autre soir. J'aimerais aussi qu'on se parle encore, pour faire connaissance. C'est ce que tu voulais l'autre fois, non ? Faire connaissance ? Alors j'espère te reparler bientôt… Rappelle-moi ! Salut. »

2

Je ne rappellerai pas Jean-Philippe. Je ne le rappellerai pas et je ne le tuerai pas si je le croise dans la rue en joggant. Ni lui, ni celui ou celle pour qui je m'appelle Françoise.

Je m'appelle Catherine Bagnard et je suis une femme anéantie. Peut-on me remordre, s'il vous plaît ? Peut-on ? Messieurs dames les vampires, je sollicite votre aide. Regardez, je tends mon cou, là. Ou je déboutonne ma chemise, pour qu'on me morde au cœur. Ou qu'on m'arrache ce qu'il en reste. Je souhaiterais me transformer en vampire le plus vite possible s'il vous plaît. À qui dois-je m'adresser ? Y a-t-il un vampire dans la salle ? Je promets d'être docile dans mon apprentissage, et efficace à la chasse. Je peux en outre examiner la possibilité de me mettre au boudin si vous voulez.

Immortelle, je n'aurai plus cette contrainte de temps qui me pèse autant qu'elle m'effraie. Immortelle, je pourrai prendre deux cents ans pour guérir. Me reconstruire. Réapprivoiser l'amour. La confiance. La joie. La paix. Les hommes. Le sexe. Réapprivoiser la vie.

En l'état actuel des choses, en ma condition de mortelle, je n'y arriverai jamais… Trop parano. Trop craintive, fragile et blessée. Trop peur de souffrir. Je suis condamnée à rejeter, pour le restant de mes jours, de gentils garçons qui me séduisent en toute normalité, en toute logique, parce que c'est vrai, c'est logique de me séduire après tout, je suis jolie, je suis sympa, même avec mes queues de rats blondes. J'ai un pieu dans le cœur depuis deux ans et je n'ai trouvé qu'une pince à épiler.

J'ignore pourquoi j'ai appelé ce Jean-Philippe. Je me suis probablement dit que quelqu'un pris de court, par surprise, est inoffensif. J'ai surtout ressenti une pulsion inexplicable… Un élan d'audace. Oui, c'est le moins qu'on puisse dire.

Que raconter d'autre sur moi… Quel bilan faire de moi-même…

Nous sommes en 2014. Noël approche et je m'en moque comme de mon premier bonnet de natation. J'ai trente-trois ans. Je suis hétérosexuelle. Mais… j'aimerais bien essayer avec une fille. Enfin je crois. Enfin… Je ne sais pas si j'irais jusqu'à lui bécoter le coquillage, je crois qu'une expérience multisensorielle serait au-delà de ce que je désire, mais un moment intime passé avec une femme demeurerait, j'en suis persuadée, un agréable souvenir pour le restant de mes jours.

J'aimerais qu'elle m'embrasse les seins… J'aimerais qu'elle s'attarde sur les bords extérieurs de mes seins, car je crois qu'il s'agit là, avec mes aisselles, des zones les plus érogènes de ma peau.

J'aimerais lui caresser la nuque du bout des ongles, puis, lorsque mes mains s'emballeraient pour aller vers ses reins, leur dire *tout doux... tout doux... La nuit est à nous.*

J'aimerais partir en mission ultra-secrète, à la conquête des confidences les plus confidentielles de son corps convoité. Partir à la recherche de son plus gros grain de beauté, l'embrasser tendrement, puis remonter ou redescendre avec ma bouche sonar, tout dépend s'il se trouve en haut ou en bas de ses seins.

J'aimerais sucer ses mamelons jusqu'à ce qu'elle ferme les yeux et foute le bordel dans mes cheveux. J'aimerais sentir qu'elle a des poils dans sa culotte, et que j'ai le droit de caresser ce qu'il y a au milieu. Et même si elle n'y tient pas, je serai déjà comblée d'avoir pu partager avec elle un baiser.

J'aimerais qu'elle me mange le sexe et me fasse jouir avec ses doigts, car je n'ai jamais joui avec un cunnilingus… La pression exercée par la langue est trop faible. C'est doux et agréable, sans plus. En revanche, depuis mon tout premier cunnilingus, mes talents d'actrice sont absolument indiscutables. Tous les hommes m'ayant léchée à cet endroit précis ont pensé que leur langue et leurs lèvres faisaient un excellent boulot et que, ma foi, bien empoté celui qui n'arrive pas à faire jouir une femme en lui labourant le clitoris. Mais la vérité est qu'en situation de cunnilingus, il m'arrive de penser à ce qu'il reste dans mon frigo pour dîner. Enfin… Tout cela est loin. Tout cela m'a quittée. La libido est à mon corps ce que le rose est aux ténèbres. Inconnu et incompatible.

Que dire d'autre. J'adore boire du thé. Plus que du café. J'aime le rituel autour du thé. Préparer un thé a quelque chose de doux. De douillet. De doucement paisible. Les tourments meurent un instant pour nous laisser vivre en pastel. Vivre tout court. Vivre. Violente est la vie. Victorieuses sont trop souvent ses épines. Vieille je m'en irai pourtant.

J'adore mon travail. J'aime me sentir perméable, sentir mon savoir, ma passion, aller vers les autres. Je peux tout leur donner, sans rien m'enlever. C'est là une des beautés de l'enseignement. De la transmission du savoir en général.

Ma vie intérieure est très riche. J'ai su développer cela au fil des deux dernières années. Une vie intérieure plus remplie que celles du Dalaï-Lama et cent profs de yoga réunis. Je me nourris de cette richesse intérieure au quotidien, c'est elle qui dicte ma vie, c'est elle qui définit qui je suis aujourd'hui ; ma tête héberge un carrousel de petits chevaux sadiques, sur le dos desquels se laisse entraîner mon esprit. Le cheval numéro 1, c'est Amertume. Le numéro 2 : Tristesse. Sa crinière est joliment tressée et se termine par un nœud rose. Le numéro 3, c'est Paranoïa. Le 4, c'est Peur. Et le cinquième, mais non le moindre : Douleur. Une grande jument à la robe noire lustrée, qui cogne du sabot non-stop et qui entraîne les quatre autres dans sa fureur. Mon esprit vadrouille de l'un à l'autre, et quand la musique s'arrête, il n'en descend pas. Quand la musique s'arrête, il les entretient. Il les nourrit. Jusqu'à ce que quelqu'un ou quelque chose remette le manège en route, au moyen d'une phrase, d'un regard, d'un événement... Je vois les années scolaires comme des lianes, qui m'empêchent de tomber dans le marécage sans fond qu'est ma vie depuis deux ans.

J'adore les chats en général, et Luc en particulier. Il n'est pas envahissant, ni miauleur compulsif. Il est discret et indépendant, sans pour autant m'ignorer.

Il est parfait. Son pelage est un mélange de Marshmallow et de Werther's Original. Je dirais soixante-cinq pour cent de Werther's Original et trente-cinq pour cent de Marshmallow. Mais Werther's-Marshmallow c'était trop long et un peu ridicule. Et Werther's M, ça faisait trop rappeur américain. Alors je l'ai appelé Luc. Je l'ai depuis cinq ans. D'ailleurs, il a cinq ans.

J'adore la musique, bien sûr. Beaucoup de styles, et tous les instruments. Il n'y a pas un instrument de musique qui me laisse indifférente ou qui m'irrite. J'aime particulièrement le piano, l'harmonica et la harpe. Je suis fascinée par les orchestres. Les comédies musicales me rendent malade. J'ai la musique du générique de *MacGyver* comme sonnerie de téléphone.

Concernant les cartes postales, j'en ai gros sur le cœur. Quand j'écris une carte postale, j'écris toujours comme un pied. Premièrement parce que le stylo que j'ai choisi pour rédiger mes bons mots s'avère presque toujours défectueux dès la fin des salutations. Ensuite, il n'y a pas de lignes sur la carte. Ensuite, je veux tellement *bien écrire*, que j'écris *mal*. Plus on s'applique, plus on prend son temps, plus c'est moche. En tout cas dans mon cas. Même chose lorsque je remplis un chèque ou un formulaire. J'essaie de m'appliquer et ce n'est jamais bien joli. Il est très contrariant d'avoir écrit comme un pied lorsque le papier est destiné à quelqu'un. Je m'imagine toujours que la carte postale va être contemplée pendant des heures… Exposée sur le buffet de la salle à manger… Montrée fièrement aux proches… « Regarde ! Catherine m'a envoyé une belle carte ! » Mais tout le monde se fout des cartes postales en fait. Et les balance aussitôt lues, dans le premier tiroir venu. Je crois que la vie de carte postale n'a rien de gratifiant. Je pense qu'il s'agit d'une existence qui n'est pas non plus enthousiasmante. Être une carte postale doit être frustrant. Il y a tout d'abord la terrible injustice de représenter un pays, une région, sans jamais en avoir vu les couleurs. Et puis, une carte postale est aussi éphémère que du papier de toilette, sinon plus. Tout dépend qui l'a écrite, qui la lit, si elle est originale, jolie, ou vraiment quelconque… Seules les originales et les jolies ont une chance de se retrouver sur un frigo ou un mur. Et si ça arrivait, cette exposition au gras et à la poussière, est-ce réjouissant pour autant ? Je me dis qu'il existe un grand décalage entre le temps que je passe à choisir et à rédiger une carte postale, et le temps qu'elle passe entre les mains de son destinataire. Ce décalage est comparable à la salade de carottes râpées. Je veux dire que râper des carottes pour faire une salade digne de ce nom prend trois jours, et en manger un bol, trois minutes. Surtout : les invités ne la savourent même pas. Peut-être est-elle dégueulasse après tout ? Peut-être que je mets trop d'huile d'olive ou pas assez de citron ? Peut-être que tous les gens à qui j'ai fait de la salade de carottes n'aimaient en fait pas du tout les carottes, mais se sont forcés car je ne fréquente que des gens polis ?

Aussi, je suis jolie en blonde. Plus qu'en châtain.

Aussi, j'aime courir et lire.

Aussi, je trouve que les poules ont une démarche contradictoire. Le message qu'elles envoient manque de clarté. D'un côté elles soulèvent et reposent leurs pattes avec une grâce et une lenteur surprenantes, mais d'un autre elles bougent la tête nerveusement et connement, annulant ainsi sur-le-champ toute la sensualité de leur démarche. Je ne comprends pas ce que la nature a voulu faire avec les poules. Je ne sais pas comment interpréter le langage non verbal des poules.

Aussi, quand je lis un livre en public, les gens doivent penser que j'ai un syndrome quelconque. Car si je lis « Monica plissa les yeux en élargissant ses narines au maximum ; elle tenait à ce que Paul saisît toute la dimension de sa colère », eh bien je vais mimer ce que fait Monica, pour bien m'imprégner de son état d'esprit. Et si, trois lignes plus bas, Paul « fronce son sourcil gauche tout en affichant un sourire en coin vers la droite et en posant son index au milieu de son front, pour accentuer son hochement de tête de bas en haut », je vais cette fois incarner Paul. Et avoir l'air très très bizarre.

Aussi, quand je lave des champignons, ça me prend toujours huit ans.

Aussi, je souffre.

Vous êtes tous cordialement invités à mon jaunissage, ce vendredi, à 18 h 30. Venez célébrer en grand nombre la décadence de ma vie ; il y aura du nougat, des végépâtés, et du thé aux fruits rouges (et du jus de fruits).

3

Les matins où l'existence nous permettait de la savourer, nous restions au lit pour épier le son des oiseaux. Il disait que leurs discussions matinales constituent le sésame qui ouvre les portes de chaque journée, et qu'il en est ainsi dans le monde entier.

Son premier *je t'aime* n'a pas attendu plus de cinq jours. Dans un hôtel du Missouri où nous avions fait escale dans le cadre de sa tournée, je travaillais consciencieusement le volume de mes cils devant le miroir. Il est entré dans la salle de bains, a pris mon rouge à lèvres, et a recouvert mon reflet heureux de la fameuse formule. J'ai souri et lui ai demandé, prudente et sceptique, comment il en était arrivé à cette conclusion. Il s'attendait visiblement à une autre réponse mais avait tout de même éclairé ma lanterne. Il m'avait dit, tout en se déshabillant, *que son cœur faisait un bruit différent*. Comme une note de musique qui n'existe pas, car c'était à la fois agréable à entendre, mais aussi très inhabituel. Complètement nouveau, s'était-il repris. C'est pourquoi il y était très attentif depuis cinq jours. Puis il avait disparu sous la douche.

Il m'avait dit *je t'aime* alors que nous n'avions encore jamais passé un jeudi ensemble. Et je lui ai ouvert mon cœur.

Voilà deux ans que je lui souhaite une mort hâtive et douloureuse tout en m'ennuyant de cet instant précis où son visage passe de neutre à radieux. La façon dont les traits tout entiers se modifient, la façon dont les lèvres s'étirent et découvrent les dents, la façon dont le regard change d'intensité et de dimension. Quand les yeux ne servent plus de pont vers l'extérieur, mais vers l'intérieur.

Je m'ennuie de ses mains, de sa voix et de son rire, fort et puissant.

Je m'ennuie de l'odeur de son gel douche et de la douceur de son vieux tee-shirt, son favori, le distendu, le troué, qui jadis informait les gens qu'il aime Miami.

Je m'ennuie du message d'accueil sur son répondeur, surtout la deuxième partie, la version anglaise.

Je m'ennuie de la couleur de sa doudoune d'hiver car elle était bleu métallisé, et de son vieux service de vaisselle contre lequel j'ai pourtant si souvent pesté tant il était laid, tant les assiettes étaient lourdes et ébréchées.

Je m'ennuie des éclats de rire que nous procuraient parfois ses trouvailles pour nommer la couleur de telle ou telle chose. Il disait que s'il n'avait pas été musicien, il aurait été ce mec qui choisit les formules à mettre sur les pots de peinture. Ainsi mes lèvres étaient couleur *mamelon de Hollandaise* et mon potage à la courge butternut *vomi de castor*. Une de mes jupes était couleur *miel de lune* et les dents du concierge, *sodominicales*.

Je m'ennuie des premières minutes au cours desquelles nous avons appris nos existences respectives, je m'ennuie du bonheur immédiat qu'il me procurait, et de l'espoir d'une union éternelle que la vie avait déposé sur notre amour plus vite que n'importe quelle mouche peut se poser sur un tas de merde encore chaud.

4

Un énième collègue de boulot me complimenta sur ma nouvelle coupe et couleur de cheveux alors que je m'installais à la table de réunion. Je le remerciai chaleureusement, déposai mon thé, et m'assis, puisqu'il n'y avait aucune raison de rester debout. Nous avions une chouette petite rencontre improvisée sur notre temps de dîner avec Ulrich, le directeur.

Ulrich est d'origine allemande, mais parle notre langue comme un natif, et sur le site Internet de l'école, on peut lire à côté de son portrait retouché que là-bas il a été cycliste professionnel, prof de français et bassiste dans un petit groupe amateur qui s'appelait DDB (Die Drei Blonden), ce qui veut dire Les Trois Blonds. Sa femme Marie-Louise est suisse et ils ont deux jumeaux de neuf ans, Fiona et Jonas. Sur son bureau il y a un petit bonhomme sans nez ni organes génitaux qui tient trois petits drapeaux en éventail : l'Allemagne, le Québec et la Suisse.

Il a du charme, je ne peux pas dire le contraire. Cheveux blond foncé, petite coupe bien propre, bien dégagée au-dessus des oreilles, yeux bleu-gris, costume cinq jours sur sept, et toujours bien rasé. Il fume huit paquets par jour mais s'en sort plutôt bien ; ses dents n'ont pas la couleur d'un mégot de cigarette et il a fini quatrième lors de la course à pied annuelle, en septembre dernier.

Le motif de la réunion est stupide et révoltant : de plus en plus de parents se plaignent du manque de disponibilité des professeurs. Nous n'avons pas tous pour habitude de leur répondre dans l'heure où nous recevons leurs courriels et je crois que c'est cela qui pose problème : certains d'entre nous ont une vie en dehors de l'école et ne se tiennent pas à leur disposition 24 heures sur 24.

J'adore mon métier, ainsi que les enfants, mais n'importe quel statisticien serait d'accord avec moi : les connards se multiplient de façon exponentielle dans la caste des parents. Oui, j'enseigne le français et il m'arrive de dire des gros mots. Seuls les grands naïfs pensent que les profs de français parlent comme Fanny Ardant, que les médecins ont fait une croix sur le tabac, et que les religieuses ne caressent que les perles de leur chapelet. De plus en plus de parents d'élèves sont des connards, donc ; j'ignore ce qui se passe depuis quelques années, mais je ne voudrais pour rien au monde enseigner au sein d'une école privée, dans trois ou quatre décennies.

Sylvie, une de mes collègues courte et large sur pattes pour qui s'adonner à de douces rêveries sur une balançoire constituerait un défi à la fois technique et intellectuel, ouvrit le bal en proposant que l'on fixe un temps limite pour répondre aux courriels. Six heures, par exemple. Ah... Sylvie... Notre mascotte. Notre sainte. Notre plaque d'immatriculation. L'apôtre de l'obéissance et de l'asservissement. Le porte-parole autoproclamé de ce que nous n'avons jamais dit, et de ce que nous n'avons jamais souhaité. Ses tenues sont toujours assorties à de gros bijoux fantaisie qui fonctionnent automatiquement en trio – boucles d'oreilles, collier, bracelet –, histoire de nous rappeler que sa longue robe d'été est vert pomme ou que son chemisier à rayures est orange foncé et orange clair, au cas où on l'oublierait. Son carré plongeant a l'air soyeux et encombrant ; si un jour nous prend l'envie d'aller au bout de nos limites ensemble en faisant notre baptême de stand up paddle, je ne la reconnaîtrai pas si elle tombe à l'eau. Quant à sa frange, je crois bien qu'elle ne pousse jamais. Elle n'a pas d'enfants et je ne crois pas qu'elle soit en couple. C'est à peu près notre seul point commun, avec notre métier. Sinon elle transpire souvent mais ne sent pas, au contraire, son parfum est très agréable et léger ; j'y suis littéralement accro sans toutefois avoir déjà eu l'humeur de lui en demander le nom. Elle porte des lunettes que je ne trouve pas jolies en raison de leur grosse monture en plastique décorée de motifs léopard, mais rouge et noir. Elles n'ont d'ailleurs jamais eu l'air tout à fait clean, ces lunettes, et un matin où elle les avait laissées sur la table du local des professeurs, je me suis permis de les laver au liquide vaisselle. J'ignore si elle avait remarqué une amélioration de sa vue.

Ce n'est pas une mauvaise personne en soi, mais elle est infiniment trop zélée et quand elle ne parle pas trigonométrie et racines carrées à ses élèves, elle lèche les bottes d'un peu tous les parents, et beaucoup d'Ulrich. Je la supporte de moins en moins. Bref, je m'empressai de la calmer.

— Mais bien sûr ! Et si on reçoit un courriel un samedi soir, à 23 heures ?

— Là c'est différent, mais quand même, on s'efforce de consulter ses courriels le plus tôt possible. Chaque matin, dit-elle son stylo à la main, sa main au-dessus de son cahier, son cahier à spirales frangé de Post-it fluos, comme si cette réunion nécessitait que l'on prenne des notes.

— Non, attends. J'ai une meilleure idée. On a une limite de six heures pour répondre aux courriels, et si on ne répond pas dans les temps, on se fait retirer de l'argent de notre salaire. Un dollar par minute de retard. Super idée, non ? Note-la dans ton cahier avant qu'on l'oublie, dis-je en lui désignant l'objet d'un coup de tête (gentiment) moqueur.

— Catherine, merci de rester sérieuse s'il vous plaît, m'exhorta Ulrich.

— Non mais, écoutez : je crois qu'il faut vraiment arrêter là… Le délai de réponse actuel est déjà très généreux. Quarante-huit heures, même durant les week-ends : le don de soi a ses limites, hein…

Quelques confrères sourirent… Mes collègues de boulot étaient, à quatre-vingts pour cent, aussi valeureux qu'un troupeau de bovidés. J'avais quelques bons camarades mais pour le reste, ils m'exaspéraient autant qu'ils me désespéraient quand venait le temps de s'affirmer un peu, de se révolter un tantinet, de quitter son petit pâturage un petit instant pour aller au front un petit coup.

Un dénommé Étienne dont le regard faisait *paow-paow*, dandy jusqu'aux lacets et nouveau de cette année, proposa que l'on choisisse chacun une journée précise pour répondre aux courriels, celle qui nous convenait, et que l'on informe les parents qu'il fallait attendre cette journée-là, « point final ». Le directeur retint en partie la proposition de ce grand brun mince, le verdict était le suivant : nous devions répondre aux courriels les lundis, mercredis et vendredis, ce qui, finalement, ne changeait pas grand-chose, puisque avant cette tentative avortée de brainstorming, nous devions répondre dans les quarante-huit heures suivant la réception d'un message. Bref, une énième heure de bénévolat parfaitement inutile, que j'aurais pu occuper de mille et une autres façons nettement plus agréables, travaillant dans un quartier aux boutiques et petites rues sympas, et ayant une lecture passionnante en cours.

Après être rentrée chez moi, je me rendis compte que j'avais oublié mon ordinateur portable dans mon casier. Pas question de passer la soirée sans lui ; je retournai à l'école le récupérer. Le personnel d'entretien ménager était là tous les soirs et on m'ouvrirait certainement la porte. Paulette, l'une des femmes ayant la lourde tâche de rendre l'école à nouveau propre chaque soir de la semaine, m'ouvrit tout de suite. Il n'y avait plus personne hormis Ulrich, que j'évitai soigneusement en empruntant un chemin autre que celui qui passait devant son bureau.

Débarquer dans la salle des profs alors qu'il n'y avait ni profs ni lumières allumées me procura un drôle de sentiment… Ainsi ce lieu continuait-il d'exister lorsque j'étais chez moi, le soir. Je n'en avais jamais pris conscience…

J'ouvris mon casier, pris mon ordinateur, et lorsque je refermai la porte, celle d'à côté s'entrouvrit très, très légèrement, juste assez pour me dire qu'elle n'était pas fermée à clé. C'était le casier de Sylvie…

Arghh… Allez… Un petit coup d'œil indiscret ne fait pas de moi une voleuse… J'ouvris la porte, ça sentait bon son parfum, les deux tablettes étaient vides, mais il y avait son manteau et ses bottes de neige. Or nous étions en décembre, une journée de grosse neige, et, à moins d'être friand d'engelures et d'hypothermie, personne ne sort dehors avec ses chaussures d'intérieur et sans manteau. Sylvie était encore à l'école. Pauvre femme. Elle n'avait décidément pas de vie autre que professionnelle.

Je me dépêchai de partir avant qu'elle ne débarque et un truc me frappa : je ne l'avais pas vue en arrivant, et j'étais pourtant passée devant sa classe. Elle n'était pas dans la salle des profs, pas dans sa classe… Je ne voyais plus que deux hypothèses : elle était aux toilettes ou dans le bureau d'Ulrich. Je passai discrètement devant ce dernier, la porte était fermée. Je collai doucement mon oreille dessus, pendant une bonne trentaine de secondes, et n'entendis absolument rien. Je n'osai pas ouvrir, mais la pièce était de toute évidence vide. Il y avait les bottes et le manteau de Sylvie dans son casier, la voiture d'Ulrich dans le stationnement, mais ils étaient introuvables tous les deux…

Non… !

Il fallait que j'en aie le cœur net.

Où irais-je me cacher si j'étais un directeur d'école et que je voulais sauter en toute discrétion une prof de maths dont les cheveux semblent soyeux et encombrants ? La réponse n'était pas tout de suite évidente, surtout que le personnel d'entretien ménager était à l'œuvre un peu partout… En revanche… dans le sous-sol… rien ne nécessitait d'être entretenu quotidiennement. Je m'y rendis donc avec la plus extrême discrétion et, puisque mes bottes d'hiver ne résonnaient pas, je ne faisais finalement aucun bruit.

Je m'arrêtai et tendis l'oreille une fois en bas de l'escalier : rien. Je sortis mon téléphone et le mis en mode lampe de poche, puis avançai doucement dans le couloir principal en me demandant ce que je faisais là, sans toutefois rebrousser chemin. Tout était sombre et silencieux, c'était carrément flippant, et bien que les rapports sexuels interdits se produisent souvent dans des lieux insolites, je crois qu'un minimum de confort est tout de même nécessaire – ce que n'offraient pas les différentes pièces où s'entassaient bureaux, chaises, matériel de gymnase, étagères et boîtes de carton à profusion.

Je pris un autre couloir dans lequel je vis cette fois de la lumière qui sortait d'une des pièces. L'ancienne infirmerie, si je ne m'abuse. Je me prenais pour un enquêteur de la CIA et développais les automatismes qui vont avec : j'éteignis ma lampe de poche. La porte était vitrée, mais son store baissé… Par chance, les lattes n'étaient plus toutes parfaitement parallèles et me permirent de boucler cette enquête sans que je n'eusse besoin d'ouvrir la porte.

Putain.

Sylvie et Ulrich étaient là.

Sylvie était en train de faire un truc que je n'ai jamais été en mesure de faire, et il ne s'agissait ni de résoudre une équation différentielle ni de dessiner un cheval. Elle était agenouillée sur un gros coussin, en train de branler Ulrich entre ses gros seins tout blancs, et ce ne sont pas mes petites poires qui m'auraient permis d'accomplir cette gymnastique, en tout cas pas avec autant de succès.

Incroyable !

Je les espionnai une bonne minute, Ulrich avait un grand et gros sexe, c'était surprenant, et j'aurais quasiment été excitée si je n'avais pas immédiatement pensé à son adorable femme, Marie-Louise. Un sentiment puissant m'envahit, que l'on appelle généralement tristesse, mais que je nommerai, par souci d'exactitude, grosse envie de gerber.

Je repartis sur la pointe des pieds et le cœur lourd. La nuit qui suivit apporta plus de questionnements que d'heures de sommeil.

5

Chère madame Bagnard,

Coralie m'a dit que vous l'aviez jumelée avec Laurence pour le travail sur Agaguk, et cela semble beaucoup la perturber. Je ne vous cacherai pas ma préoccupation à moi aussi, et même mon incompréhension par rapport à cette décision !

Vous savez très bien que Laurence doit s'absenter régulièrement pour ses traitements de chimiothérapie, et que le travail que demande cette recherche sera sans doute plus assuré par ma fille que par Laurence. Je trouve cela injuste pour Coralie et je vous demande de la mettre avec quelqu'un d'autre (un ou une élève plus disponible).

Je vous remercie d'avance pour votre compréhension et vous souhaite un joyeux Noël et une bonne année 2015 !

Bien cordialement,

Éléonore Maurice

Nous étions mardi matin, le 16 décembre, et, pour une rare fois, je répondis au courriel d'un parent d'élève dans l'heure où je l'avais reçu.

Chère madame Maurice,

Effectivement, j'ai décidé que Coralie et Laurence feraient ce travail ensemble, puisqu'elles sont dans la même classe, la mienne, et que c'est la seule condition que je me suis imposée pour créer les binômes.

En annonçant les duos, je n'ai pas eu le sentiment de voir Coralie « grandement perturbée », mais enfin, peut-être que par retenue et délicatesse à l'égard de sa camarade, elle a gardé sa détresse pour elle. Si c'est le cas, c'est tout à son honneur.

Laurence doit effectivement s'absenter régulièrement à cause de sa leucémie, qu'elle combat avec un courage incroyable pour une jeune fille de douze ans. Cela ne fait pas d'elle une paresseuse, juste une enfant pour qui les mots « hôpital, docteur, traitement, rémission, maladie et médicaments » font partie du quotidien alors que ses uniques préoccupations devraient être de ramener de bonnes notes, de jouer avec ses amis, et de ranger sa chambre. Ça, c'est une injustice. Ça, ça suscite l'incompréhension.

J'ignore ce qui me sidère le plus entre votre égoïsme et votre manque de compassion. Qu'avez-vous donc à la place du cœur ? Une grosse boule de neige ? Ou peut-être du caca, tout simplement ? Les deux substituts sont on ne peut plus d'actualité remarquez, compte tenu des centimètres de neige qui s'accumulent depuis trois jours et de l'épidémie de gastro-entérite qui sévit.

Je peux « concevoir », notez bien les guillemets, que certains élèves se moquent de Laurence à cause de ses pertes de cheveux, notamment, ou de son tempérament réservé : ce sont des enfants et ils n'ont aucune idée de ce que représente une maladie aussi grave que le cancer.

J'imagine et j'espère que lorsqu'ils seront adultes, ils comprendront, et se souviendront de cette jeune Laurence qui continuait de venir à l'école même si son crâne était de plus en visible, même si leur attitude n'était pas toujours à la hauteur de ce que méritait cette enfant, même si ses traitements l'épuisaient. J'espère que cette jeune fille les inspirera alors comme elle m'inspire depuis le mois de septembre, et comme je pensais qu'elle aurait inspiré n'importe quel être humain digne de ce nom.

Je vous souhaite également un joyeux Noël, il sera assurément bien blanc cette année, de bonnes vacances, ainsi qu'une bonne année 2015. Paix, bonheur, et santé, surtout.

Coralie fera ce devoir avec Laurence, elles ont deux mois et je vais m'assurer qu'elles puissent trouver des moments pour travailler ensemble. Si vraiment ce n'est pas possible en raison de l'état de santé de Laurence, j'aviserai.

Bien cordialement,

Catherine Bagnard

Le lendemain j'étais convoquée dans le bureau de mon directeur, quelle surprise. Mme Maurice lui avait transféré mon courriel, était outrée, scandalisée, etc. : aucun être humain n'avait, je crois, déjà soupçonné officiellement qu'un gros tas de merde puisse assurer le bon fonctionnement de son système sanguin. Elle était scandalisée, donc, et exigeait… non pas que Coralie

109

fasse son travail avec un autre élève, puisque c'était chose acquise en ce qui la concerne ; elle exigeait mon renvoi.

Ulrich m'informa tout d'abord qu'il n'approuvait pas du tout l'incorrection et l'insolence avec lesquelles j'avais répondu à ce courriel et je fus on ne peut plus surprise par cette entrée en matière. En effet, je m'attendais à trouver en lui un allié, un être humain tout aussi indigné que moi par l'indifférence et l'insupportable manque d'empathie dont venait de faire preuve l'autre saleté. Bien sûr il n'avait aucunement l'intention de me congédier – je suis une bonne prof et il le sait –, mais il fallait mettre Coralie avec quelqu'un d'autre pour le devoir. Je lui ai dit qu'il n'en était pas question ; il m'a répondu que ce n'était hélas pas moi qui décidais.

— Ajoutez-les chacune à un duo déjà constitué, me somma-t-il.

— Non ! Je ne changerai rien à mon organisation.

— Vos protestations à répétition me dérangent de plus en plus, d'accord !? Allons droit au but. Si le fonctionnement ne vous convient pas, vous pouvez faire comme votre collègue Margaux. Je ne doute pas de vos qualités d'enseignante, je les salue et les ai même souvent défendues, mais sachez que vous n'êtes pas irremplaçable, Catherine. Personne ne l'est.

— Bon sang mais vous rendez-vous compte de l'absurdité, de la *monstruosité* de la situation ?! De ce que vous me demandez de faire, vous et cette Mme Maurice ?! Comment voulez-vous justifier un tel changement auprès de Laurence et de ses parents ?

— Il fallait y penser avant... Vous connaissez Mme Maurice. Sa réaction était prévisible.

— Non, enfin ! Je ne m'attendais pas du tout à cette réaction ! Comment peut-on prévoir une telle réaction ! C'est débile, inhumain et disproportionné ! Cette recherche sur Agaguk ne demande pas non plus des semaines de travail. Juste trois ou quatre heures… Laurence et Coralie feront ce travail ensemble. Je suis désolée.

— Vous allez surtout faire ce que je vous ai demandé de faire ! Le sujet est clos, vous pouvez retourner à vos occupations, me lança-t-il, accoudé depuis son gros fauteuil de cuir.

Tant de phrases bien envoyées dont voici un échantillon auraient pu clore cette discussion et me donner le dernier mot…

« Est-ce que vous parlez sur ce ton à Sylvie quand elle fait des heures supplémentaires le soir, mon cher Ulrich ? »

« J'en ai de moins gros que Sylvie, mais j'ai une grande gueule. Ne l'oubliez pas… »

« J'ai vu votre pénis en érection dans le sous-sol, l'autre soir, et dites donc ce n'est pas mal du tout ! »

Je décidai néanmoins de ne point m'épancher…

La capitulation étant inévitable, je capitulai finalement, non sans colère et écœurement.

— J'aimerais aussi que vous fassiez vos excuses à Mme Maurice, s'il vous plaît.

— Hors de question.

— Il le faut, Catherine. Vous êtes allée trop loin. Je tiens à vous garder chez nous, mais vous devez faire un geste aussi.

Je m'accordai quelques secondes de réflexion en fixant ses trois petits drapeaux.

— Je vais lui faire des excuses, mais sur papier. Je n'arriverai pas à lui en faire en personne. Je ne sais pas mentir, Ulrich. C'est ainsi.

Un mélange d'exaspération et de renoncement l'amenèrent à pousser un long soupir, puis il me tendit une feuille et un stylo, que je pris.

Chère madame Maurice,
Toutes mes excuses.
Joyeux Noël,

Catherine Bagnard

Et je dessinai un énorme smiley ultra-content sur le reste de la feuille, car c'est l'une des rares choses que je sais dessiner en restant fidèle à la réalité, et surtout parce que j'avais fortement envie de me payer sa tête.

— Vous jouez avec le feu…

— Je ne suis pas d'accord. Je trouve au contraire que cette lettre traduit à la fois l'insoutenable repentance qui m'habite, mais aussi mon profond désir de faire la paix avec elle. Je ne peux trouver mots plus appropriés.

Puis je me levai et lui dis un « Au revoir » accompagné de gravité, en ouvrant la porte de son bureau. J'eus le temps de voir le fond d'écran de son ordinateur en sortant : une photo de famille sur laquelle il enlaçait tendrement Marie-Louise devant un chalet… Quel salaud.

— Ah, dernière chose, Catherine. Ces chaussures dorées, là : c'est terminé, dit-il en désignant mes pieds d'un bref signe de tête.

— Pardon ?!

— Ça ne fait pas sérieux. Ce n'est pas une discothèque ici. C'est une école privée.

— Enfin, c'est ridicule… ! Ce ne sont que des Converse… Je ne vois pas en quoi elles pourraient être provocantes… !

— Peu importe la marque. Elles sont dorées et brillantes. J'aimerais que vous portiez des chaussures plus sobres. À vendredi, Catherine. Merci de votre collaboration.

Je sortis sans ajouter un seul mot. Je venais de capituler deux fois en moins de dix minutes, deux fois et demie, même, et bien que vivement tentée par un corps-à-corps interminable et épuisant avec Éléonore Maurice, dans une boue aussi épaisse que profonde, j'allai plutôt me préparer un thé au kiwi.

Vendredi… J'avais oublié. Le fameux souper de Noël de l'école… Cela me tentait autant que de m'enfoncer un clou rouillé dans l'œil.

J'imagine que Marie-Louise sera là… Pauvre Marie-Louise… Une femme si charmante, si douce… D'une grande classe. Plus désirable que trente Sylvie réunies. Oui, car Sylvie est une femme sans saveur. Elle sent bon, certes, mais c'est un être conventionnel et ennuyant, qu'une paire de seins pourtant bien moulée et a priori naturelle ne parvient pas à rendre affriolante. Je vote pour Marie-Louise à mille à l'heure, d'autant plus que c'est elle qui m'a donné Luc. Leur chatte avait mis au monde sept bébés, et nous sommes quelques profs à en avoir récupéré. Un des frères de Luc vit d'ailleurs chez Sylvie et lorsque j'y pense, cela me cause toujours un certain malaise.

Lorsque je sortis de l'école, une mélodie bien connue se chargea d'apaiser ma colère. Que j'aime cette chanson. Elle me fait littéralement décoller. Non loin de moi, quelqu'un jouait *Nothing Else Matters*, à l'harmonica. Mais où ? Et qui ? Personne n'avait les mains devant la bouche dans le parc à ma droite, je levai alors les yeux vers les immeubles en face. Pas de musicien non plus accoudé à une fenêtre, ni de fenêtre ouverte. Normal finalement, nous étions en décembre. Un prof sortit à son tour, et je n'eus même pas le réflexe de me décaler pour le laisser passer. Il me contourna avant de me demander si tout allait bien, puis descendit l'escalier sans même remarquer que quelqu'un partageait un morceau de musique avec la rue.

Je restai le temps du morceau en haut des marches, les yeux fermés, à savourer cet air que j'aime tant, joué par un instrument si cher à mon cœur. Le temps était subitement doux ; la journée subitement belle.

6

Alors, Catherine de Russie ?! Qu'est-ce qui se passe ? Tu me contactes comme ça et puis plus rien ? Tu as changé d'avis ? C'était bien une blague donc... ! Un pari entre copines et t'as pas le courage de me dire la vérité... ? Vous êtes une petite joueuse, mademoiselle... Bon ben... Je t'embrasse quand même. Oui. Même si je ne te connais pas... Je pars en Islande dans quatre jours et je reviens le 12 janvier. Mon répondeur est à ta disposition... À plus. »

Mais, l'absence de Tristan ? Qu'est-ce qui se
passe ? Tu ne comptais chambrer ou et puis plus rien ?
Tu as changé avec ? Ou est bien une blague dont...
[...] par une raffinerie et tu vas le contrarie de me dire la
vérité ... ? Vous êtes une petite conasse, mademoiselle...
bien sûr... Pas comme tu voudrais ... Oui Marie, si je
ne te connais pas ... le part de Islande dans quatre jours
et je resterai là jusqu'à... Mon répondeur est à ta disposition, inutile de...

Bénédicte et Christian s'étaient revus ; ils avaient à nouveau mangé ensemble puis assisté à un « concert de bols chantants tibétains ». Je connais Bénédicte depuis l'école primaire, c'est pourquoi même sans ses explications, j'aurais su que l'idée ne venait pas d'elle. Et, toujours pour la même raison, lorsqu'elle m'assura à quel point c'était « particulier et très intéressant », je sus qu'elle mentait pleinement.

Christian pratiquait le Qi Gong depuis de nombreuses années et c'est son prof qui lui avait parlé de ce concert. Les gens portaient des chaussures confortables et des bijoux en billes de bois ; elle s'était sentie un peu conne avec ses bottines à talons aiguilles et sa jupe en cuir.

— Tu es sûre que c'est un gars pour toi… ? avais-je osé.

Sa réponse était catégorique.

— Ben oui ! Pourquoi !?!!

— Et après la musique tibétaine… ? demandai-je en mettant mon téléphone sur la fonction haut-parleurs, histoire de terminer mon repassage sans me ruiner la nuque.

Et après la musique tibétaine rien du tout. Un baiser assez bref dans la voiture, et chacun était rentré chez soi, chacun travaillant le lendemain et chacun étant, à mon avis, probablement sonné par les soixante-quinze minutes de sons thérapeutiques ingurgités. La musique des bols avait résonné dans sa tête jusqu'à ce qu'elle trouve le sommeil, ça l'avait rendue totalement dingue.

Je la sentais déchanter un peu et s'interroger quant à la suite des événements… C'est vrai qu'il y avait de quoi se poser des questions. Pour raviver son optimisme, je supposai qu'il était sans doute vraiment très, très respectueux ce Christian, et qu'après tout, ce n'était que leur deuxième rencontre officielle. Pourquoi vouloir absolument mettre le petit Jésus dans la crèche tout de suite tout de suite ? Ou bien qu'il était peut-être encore un peu sous le choc de son divorce… Ou peut-être que la gardienne de ses enfants ne pouvait pas rester après 23 heures et qu'il fallait absolument qu'il rentre… Une bonne amie trouve toujours de bons arguments pour remonter le moral d'une copine… En revanche, quand vient le temps de se remonter le moral à elle-même, elle préfère enfiler sa pire robe de chambre et mettre la playlist la plus déprimante qui soit. Nous sommes quand même bizarres, nous les filles…

Béné me fit remarquer, sans rancœur, mais avec justesse, que c'est moi qui lui avais mis l'Opération Zizi en tête, que c'est moi qui lui avais mis de la pression – j'ajouterais cependant des guillemets à cette formule – et qu'il fallait quand même que je sois un peu cohérente dans mon discours. Comme elle avait tout de même raison, je m'excusai pour ce petit coup de pied au derrière que je n'aurais (peut-être) pas dû lui administrer, (quoique), et mis un autre sujet sur la table : mon rêve érotique avec elle. Ça ne sembla pas la distraire plus que ça, et je regrettai même de le lui avoir raconté. Elle ne voulut même pas savoir si nous avions gardé nos culottes. Et puisqu'elle ne me le demanda pas, je lui annonçai de moi-même, histoire de la consoler un peu, que pour moi non plus, ça n'avait rien donné avec Jean-Philippe. Je sentis alors, sans qu'elle ne le formule clairement, que le contraire l'aurait emmerdée.

PARTIE
4

1

Dernière journée d'école, qui serait riche en cadeaux et « Joyeux Noël et bonnes vacances ». Comme chaque année, mes élèves me gâtèrent, ou plutôt leurs parents ; j'éprouvais toujours de l'embarras face à tous ces cadeaux car finalement, je ne faisais que mon travail et n'étais pas un membre de leur famille. Pourquoi m'offrir quelque chose ?

Contrairement à ce que je pensais, je reçus un cadeau de Mme Maurice. Compte tenu de la situation, je ne m'attendais pas à recevoir quoi que ce soit, sauf peut-être une pomme empoisonnée. Que nenni que nenni, dans le joli petit sac que me tendit Coralie se trouvait une jolie petite boîte, dans laquelle se trouvait un « bijou de sac » Louis Vuitton.

Ah ! Les bijoux de sac. Les bijoux tout court. Je ne sais pas ce qui se passe avec les bijoux, c'est devenu une véritable révolution. Ils nous envahissent, veulent plus de place, de visibilité, de parts de marché, ils prennent possession des corps et des objets, sont sur le point de devenir un verbe, bijoute ton corps, bijoute ta destinée, sont sur le point de nous transformer en bijouterie ambulante : nous sommes les bijoux et nous allons tous vous tuer. Les colliers, bracelets, bagues et boucles d'oreilles n'ont plus le monopole de la décoration corporelle ; les bijoux de sourcils, de cils et de nombrils vont aussi se faire un nom et une place, si ce n'est pas déjà fait, tout comme les bijoux de jambe, de dents et de langue, les bijoux de nez et de pied, les bijoux de ventre, de vagin et de mains, les bijoux de peau, de dos... Même le système tégumentaire est décoré, grâce aux bijoux de barbe, de cheveux et d'ongles. À quand des bijoux pour le système sanguin ? De minidiamants phosphorescents qui se promèneraient dans les artères et qui, lorsqu'on est content, brilleraient assez fort pour qu'on n'ait plus besoin de sourire. Ah, j'oubliais. Il existe aussi des bijoux de hanches, de lèvre, et de tête. Oui, tous ces bijoux existent bel et bien et ne sont pas le fruit de mon imagination. Sans parler des implants sous-cutanés, qui permettent de porter des décorations à peu près n'importe où, la grande mode étant, notamment, le bas du dos.

Je propose que l'on s'intéresse aussi au cul et aux genoux. Oui. Le bijou de cul serait une idée à développer, tout comme le bijou de genou. Tous deux pourraient se porter autant sur la peau que sur les vêtements. Bonjour, mademoiselle, je peux vous aider ? Oui, en fait je me cherche un bijou de cul pour mon voyage au Costa Rica. Quelque chose qui bouge bien quand je danse, mais qui ne soit pas insupportable quand je suis assise. Un bijou de cul, excellente idée. J'ai plusieurs modèles qui pourraient vous convenir. Êtes-vous percée ? Nous avons une promotion sur les modèles peau/vêtement.

Le soir même avait lieu le repas de Noël. Marie-Louise était là, charmante, souriante, intelligente… Marie-Louise, chère Marie-Louise…

Comme à son habitude, elle ne portait pas de jean, comme à leur habitude, ses cheveux bruns étaient impeccables, vue de dos, leur dernière moitié imitait un grand ressort délicat qui habitait le creux de ses omoplates, sans qu'aucun fer à friser ne soit probablement intervenu, et comme à mon habitude, j'étais ravie de la voir.

Si nous étions des ados et que j'étais un garçon, je ne lui dirais pas que « ses parents sont des voleurs car ils ont pris toutes les étoiles du ciel pour les mettre dans ses yeux ». Je la séduirais en lui disant que ses parents sont des voleurs et d'excellents scientifiques, car ils ont volé une tablette de chocolat noir, une tablette de chocolat blanc, deux diamants marquises, une boîte de paillettes argentées, une boîte de paillettes dorées, peut-être aussi un fouet de cuisine s'ils n'en avaient pas, puis ils ont trouvé la formule parfaite pour mélanger le tout et en faire ses yeux. Et si ma théorie ne lui donnait pas envie de se tenir à plus de quatre mètres de moi pour le restant de l'année, j'aurais ensuite l'audace de lui proposer un lait frappé au chocolat après les cours, sur une charmante terrasse entourée de lierre et de géraniums rouges, avec de confortables chaises en rotin, oui car nous serions début septembre, un lendemain de rentrée. Nous ne serions pas assis trop près de la rue, car les voitures sont nombreuses et bruyantes à cette heure-là. Je la ferais s'asseoir à l'ombre du parasol et je me prendrais le soleil dans les yeux tout le long, ce n'est pas grave. Elle me demanderait ensuite si je ne préfère pas qu'on se commande un pichet de sangria, et je lui dirais qu'elle a bien raison, surtout que je serais probablement intolérant au lactose. Mais je m'égare… En fait la situation est beaucoup plus simple qu'il n'y paraît. En fait Marie-Louise a des yeux brun clair en amandes, et ils sont très beaux. Voilà. Des yeux pensifs et ailleurs, bien qu'à cet instant plantés dans les miens.

Ce soir-là elle avait opté pour une combinaison vaporeuse noire, sans manches, et sa taille était soulignée par une fine ceinture dorée. Les ornements étaient très sobres, une petite chaîne en or autour du cou, au milieu de laquelle était intégrée une lemniscate, le symbole de l'infini, du rouge à lèvres cerise, un peu de mascara, un peu de rose sur les joues, un peu de soleil dans ma soirée.

Nous nous fîmes la bise, notre discussion fut brève, elle me parla en bien de ma nouvelle coupe, prit des nouvelles de Margaux, je lui expliquai qu'elle s'était complètement recyclée dans la décoration, à son compte, qu'elle vivait avec son nouveau compagnon et semblait heureuse, elle prit des nouvelles de Luc, et moi de Bambou, la maman de Luc, puis elle me glissa à l'oreille, excitée et même admirative, je crois, qu'elle savait pour Mme Maurice, et que ma réaction avait été *formidable*. Je me suis contentée de sourire, embarrassée, car j'ai toujours refoulé et désapprouvé l'étiquette d'impertinente, d'extravagante, ou de folle furieuse qui démarre au quart de tour. Je ne mérite ni éloges ni étiquettes de ce genre. Ma réaction n'a été en rien formidable ; ma réaction est tout ce qu'il y a de plus normal et sensé. Ce sont les autres, qui n'ont rien dans le pantalon. Ce sont les autres, qui ont du flan à la place des tripes. Ainsi quand quelqu'un se démarque un peu par son unique bon sens, il est immédiatement diabolisé ou encensé. C'est ainsi partout. C'est ainsi tout le temps.

Nous nous sourîmes, puis elle dut me laisser pour une secrétaire.

« Catherine Bagnard » sur un petit carton. Je venais de trouver ma place. Face à moi, Claude-Henri Latour, un collègue de maths de Sylvie aussi sociable qu'un essieu de camionnette, accompagné de sa femme, accompagnée de son téléphone portable et de cheveux auburn abîmés. À ma gauche, un nom et un visage que je ne connaissais que très peu : Étienne Cardinet. Le nouveau prof d'histoire. Celui qui avait lancé l'idée de ne répondre aux courriels des parents qu'une seule fois par semaine et qui a volé le corps et la garde-robe d'un mannequin.

— Jolie chemise ! lui dis-je en cherchant la distance idéale entre la chaise sur laquelle je venais de prendre place et la table. Un passionné d'ornithologie… ? ajoutai-je, souriante ; il fallait bien briser la glace car nous étions destinés à nous parler pendant deux heures.

— Euh non, pas du tout. Mais je trouvais les hiboux originaux, dit-il simplement, avec un sourire somme toute léger.

Étienne n'avait pas le sens de l'humour et devint l'un de mes principaux interlocuteurs de la soirée. À la dernière place en bout de table, voilà où l'on m'avait placée. J'ignorais tout de lui mais nous avions au moins trois points en commun : nous n'étions pas accompagnés, nous n'avions pas attendu cette soirée impatiemment, et nous n'étions pas des mordus d'ornithologie.

Voir tout ce monde très élégant autour de ce buffet tout aussi raffiné avait quelque chose d'assez absurde puisque nous nous trouvions seulement dans le gymnase de l'école, et que ce dernier n'avait pas particulièrement été décoré pour l'occasion. Nous étions dans le gymnase et il était difficile de l'oublier : deux profs d'anglais tentaient de se hisser au sommet du mur d'escalade en attendant que le troupeau devant le buffet se dissipât. Ils n'y parvinrent point car ils portaient des souliers de ville, mais divertirent l'assemblée avec maestria.

Au milieu du repas, Ulrich nous servit son traditionnel discours, nous remercia tous pour notre excellent travail, bla bla bla bla bla, bla bla bla.

Bla bla bla bla, bla bla bla bla bla bla !! Bla bla bla bla bla ; bla bla bla bla bla bla bla.

Bla bla bla bla.

Bla bla bla bla bla (bla bla bla bla bla bla bla bla), bla bla bla bla bla (bla bla bla bla bla bla bla bla bla bla bla bla bla BLA bla bla bla bla bla bla bla bla) bla bla bla bla bla. Bla bla… bla bla bla… bla bla bla, bla bla bla bla, bla bla bla – bla bla BLA.

Bla bla, bla bla bla bla bla ? BLA, BLA, BLA.

Bla !

Et ce que je retiens de cette soirée se résume en trois phrases.

C'est vraiment bon, le ceviche de pétoncles. C'est surprenant.

Étienne est un homme mystérieux, intelligent et qui porte bien la barbe.

2

Garder le secret que j'avais découvert dans le sous-sol de l'école me devenait insupportable. Il fallait que j'en parle à quelqu'un. Margaux accepta mon invitation et fut ravie de revoir Luc, le frère de Bobine. C'est avec un enthousiasme carrément intimidant qu'elle approuva mon changement capillaire, et alla même plus loin : j'étais « métamorphosée, rajeunie et irrésistible » !

— Alors ma libellule ? Que se passe-t-il… ? Tu avais l'air préoccupée au téléphone…

— Ouf… Si tu savais…

— Explique-moi tout. Tu sais que tu peux compter sur moi…

— Bon. Je vais y aller direct… Ulrich trompe Marie-Louise… Avec Sylvie…

Margaux s'étouffa avec sa gorgée de rouge. J'avais longuement réfléchi à sa réaction avant de lui en parler et je m'étais dit qu'elle rirait peut-être… Elle qui déteste et Ulrich et Sylvie et qui rit souvent. Mais non. Elle ne rit pas.

— Nonnn…

— Je te le jure… J'en ai eu la nausée pendant deux jours…

— Comment le sais-tu… ?!

— Je les ai vus…

— Quoi ?! Tu les as carrément VUS ?! Mais où ?! Quand ?!

— Oui… Ils font ça dans le sous-sol de l'école… Dans l'ancienne infirmerie. Je ne les ai pas surpris en train de baiser à proprement parler mais… elle le branlait entre ses seins. Je peux te dire que je suis restée sur le cul…

— Quoi ?! Elle le *branlait* entre ses seins ?! Sylvie !?!!

— Oui.

— Mais ce n'est *pas croyable*… Ulrich et Sylvie… Il se tape Sylvie… Je n'en reviens pas. Il a une femme si bien… Si belle ! Pauvre Marie-Louise… Et depuis quand le sais-tu… ? Est-ce qu'ils savent que tu sais ? Mais comment tu t'es retrouvée dans le sous-sol ?

Je racontai l'histoire dans ses moindres détails. Elle était sous le choc. Nos sentiments envers Ulrich, Sylvie et Marie-Louise sont sensiblement les mêmes. Nous nous comprenions. Tout comme moi, elle était d'avis qu'on ne pouvait pas rester sans rien faire… Mais que faire ?

Nous savions trois choses : il fallait l'annoncer à Marie-Louise, il ne fallait pas qu'elle sache que ça vient de nous, il ne fallait pas qu'Ulrich sache qu'elle sait à cause de nous.

Après avoir considéré plusieurs options, nous en sommes arrivées à la conclusion que la lettre anonyme demeurait la meilleure solution. Elle serait tapée à l'ordinateur bien sûr, et, par souci de bienveillance vis-à-vis des enfants, nous décidâmes de ne l'envoyer qu'après Noël. Bien que très bref, ce texte fut l'un des plus difficiles que j'eus à rédiger.

Plusieurs paramètres devaient être considérés. Tout d'abord, nous devions donner suffisamment de détails pour que 1) la lettre soit crédible et 2) que Marie-Louise puisse vérifier par elle-même. Ensuite, il ne fallait pas qu'elle sente une quelconque affection à travers nos mots, cela aurait pu nous griller. Pour terminer, il fallait lui faire le moins mal possible…

Madame,

Après avoir longuement réfléchi, j'ai finalement décidé de vous contacter. Ne cherchez pas à savoir qui je suis, cela est sans importance.

Il faut que vous le sachiez : votre mari vous trompe. Je regrette d'être le porteur de cette nouvelle. Mais j'aime la justice.

Cela se passe à l'école, certains soirs de semaine, dans le sous-sol.

Courage, madame.

Sincèrement

3

Joyeux Noël et bonne année 2015.

Pendant mes vacances de Noël, j'ai :

– Vu mes parents et mes deux grands-parents encore en vie (les parents de ma mère), mon cousin, mes cousines et leurs enfants à Noël.

– Vu mes parents à deux autres reprises.

– Couru.

– Vu Bénédicte, qui m'a appris une sacrée nouvelle.

– Lu.

– Vu Margaux, avec qui j'ai reparlé de Sylvie et Ulrich, cela va de soi...

– Fait du patin avec Margaux.

– Travaillé.

– Fait le tri dans ma paperasse.

– Fait le tri dans mes vêtements. Effectuer un tri de ses vêtements fait de la place dans les tiroirs et du bien psychologiquement. C'est comme se débarrasser d'une partie de soi-même qu'on ne supporte plus. Il s'agit bel et bien d'une thérapie. Les vieux vêtements sont comme de petits défauts dont il faut se défaire. Ainsi ai-je mis dans un grand sac en plastique quatre pulls, deux pantalons, une paire de chaussures, deux robes et même un manteau, pourtant récent puisque acheté il y a deux ans, mais Margaux m'a fait comprendre que ce manteau devait sortir de ma vie et ce pour deux raisons : premièrement, je n'ai pas les épaules de John Cena[1] ; deuxièmement, je ne suis pas un grand-papa de quatre-vingt-huit ans.

– Jeté une lettre de ma sœur à la poubelle sans en avoir ouvert l'enveloppe.

– Lu.

– Travaillé.

– Acheté de nouvelles sortes de thé.

– Acheté un cahier de coloriage pour adultes.

– Acheté des feutres à fine pointe.

– Fait du coloriage pour adultes.

– Couru.

– Rendu visite à ma cousine préférée.

– Travaillé.

– Fait du ménage à outrance.

– Lu.

– Fait quatre litres de bouillon de poulet que j'ai séparés dans des pots en plastique puis congelés.

– Enlevé le vernis que j'avais depuis deux mois sur les ongles d'orteils, coupé et limé mes ongles d'orteils, laissé respirer mes ongles d'orteils pendant trois jours, remis du vernis, du bleu foncé cette fois, toujours sur mes ongles d'orteils.

– Travaillé.

– Lu.

– Couru.

– Acheté une nouvelle paire de bottes d'hiver, une

_____
1. Catcheur américain.

paire de boucles d'oreilles en forme de petits bons-hommes de neige, et encore du thé. Ah oui, j'ai aussi acheté une troisième paire de Converse, des blanches cette fois, que je vais mettre à l'école et que Ulrich *il pourra rien dire.*

– Posté la lettre à Marie-Louise à la fin des vacances.

4

Je disais donc que j'ai vu mes parents pendant les vacances. (Maman et Papa l'ont su par Geneviève, que Geneviève avait sucé mon ex, et que je les avais surpris. Quand ils sont arrivés chez ma sœur ce soir-là, il était d'ailleurs déjà parti. Pauvre chou, tu m'étonnes. Tout à l'envers il devait être. Et puis ce n'est pas comme s'il avait encore le cœur à fêter l'anniversaire de Bernard.)

— J'ai été heureuse de t'avoir avec nous le soir de Noël.

— Maman, tu le sais, quand elle n'est pas là, je viens avec plaisir.

— Ma chérie… dit-elle avec compassion. Je dois te parler…

— Oui… ? Qu'est-ce qu'il y a ?… Rien de grave j'espère… ?

— Viens t'asseoir…

Ma mère et moi prîmes place dans la véranda, sur le canapé en tissu vieux rose.

— Pose ta tasse et donne-moi les mains.

— Maman, tu me stresses. Qu'est-ce qu'il y a… ?

— Ma chérie… Il faut que tu sois forte…

— Je le suis. Dis-moi ce qu'il y a bon sang !…

— Ta sœur et… François… se revoient depuis un moment… Ils… Ils sont en couple… Je préfère que tu le saches tout de suite, et par moi…

Tout ce qui en moi travaillait de concert pour me rapiécer l'âme vit son entreprise réduite à néant. Les gars, mettez du fil plus solide la prochaine fois. Raccommodez-moi avec des chaînes, en fait.

J'eus un rire-soupir bref en guise de réaction, toute dépouillée de mes émotions que j'étais, tout désorienté que l'on est l'instant d'une chute de huit mille mètres.

— Maman… Pourquoi… demandai-je anéantie, en fixant les ronds sur son tapis.

— Que veux-tu dire, ma chérie… ?

— Pourquoi cet acharnement de la vie…

— Ma petite chérie… Viens dans mes bras…

Je posai ma tête sur ses jambes, les yeux vides. Elle se mit à me caresser les cheveux et je me mis à pleurer. Très vite, la détresse des couinements succéda à la quiétude des larmes. La douleur était telle que je ne pouvais plus la contenir. Plus l'insonoriser.

— Catherine, ma puce… Sois forte, ma chérie. Ça ne change rien pour toi, au final, qu'ils soient ensemble… Cet homme ne te méritait pas, de toute façon. Il ne t'a jamais méritée.

— Et moi… Que lui ai-je fait pour mériter cela… ? Et Geneviève, comment a-t-elle pu… La pute… LA SALE PUTE… Comment pouvez-vous continuer à la voir… Je me sens trahie par tout le monde…

— Ma petite chérie… Tu n'as rien fait pour mériter cela, c'est évident. Tu n'y es pour rien. Et nous sommes de tout cœur avec toi, sache-le. Ce qu'a fait Geneviève est ignoble, affreux. Catherine… Je sais que tu es très malheureuse depuis ce jour, et que tu souffres beaucoup, mais ressaisis-toi. Tu gâches ta vie… Tu perds tes plus belles années… Le temps passe, mon ange, et il ne revient pas. *Chaque jour qui passe ne revient pas.* Tourne la page… Recommence ta vie… Ouvre ton cœur à nouveau… Mon Dieu que… Mon Dieu que la vie est courte, trésor, si tu savais… Ne laisse pas cet homme t'enlever plus que ce qu'il t'a déjà enlevé. Si tu ne peux pas pardonner, ne pardonne pas, mais ne t'empêche pas d'être heureuse à nouveau… Ton père et moi voulons te voir heureuse. Nous voulons retrouver notre Catherine d'avant.

— Je souffre, maman… Je l'aime encore. Je suis démolie…

— Je sais… Mais tu dois te ressaisir. Il le faut. Tu DOIS te ressaisir. Tu en es capable. Puise au fond de toi, prends l'amour que nous te donnons depuis toujours, et sers-t'en pour te reconstruire. Papa et moi serons toujours là pour toi. Tout le monde t'aime, ta famille, tes amis, tes élèves… Appuie-toi sur le bon, sur le positif, pour te remettre d'aplomb. Tu as assez souffert et pleuré… Cette nouvelle vient boucler la boucle : ils sont ensemble, c'est comme ça, et ce n'est plus ton problème. Cet homme n'était pas pour toi, il ne te méritait pas. Et il était trop souvent parti à droite à gauche. Laisse-les faire leur vie, et occupe-toi de toi. De ton *bonheur*. Je ne supporte plus de te voir dans cet état. Tu es bonne comédienne avec les autres, mais pas avec moi. Je sais que tu es malheureuse et que ça ne va pas…

— Non… Ça ne va pas. J'ai besoin de crever et de rien d'autre… Après ça ira mieux…

— Ne dis surtout pas ça. C'est quoi ces bêtises ? Catherine. Je sais que c'est dur… Mais tu vas y arriver. Tu es belle, tu es jeune, tu as tout pour toi. Nous traversons tous des épreuves, nous vivons tous des choses difficiles… Mais il faut continuer. Voilà. Continuer. Ne pas enterrer définitivement telle ou telle sphère de notre vie, tel ou tel projet, sous prétexte qu'il y a eu un problème.

— Je sais… dis-je avant de renifler violemment et d'avaler une partie de la merde qui m'encombrait le nez. Je t'aime, maman…

— Moi aussi mon trésor… Je veux ton bonheur. J'ai fait du tiramisu. Mouche-toi un bon coup, je vais aller le chercher…

Après avoir dévalisé sa boîte de mouchoirs et son dessert, je la pris dans mes bras, et lui dis de ne pas s'en faire. Que je mourrai très vieille, bien au chaud et dans mon lit, comme Kate Winslet promet à Leonardo DiCaprio dans *Titanic*, avant que celui-ci ne disparaisse au fond de l'océan Atlantique. Elle approuva mon projet. Je partis ensuite.

Une mère, c'est une couverture autour des épaules, sur une terrasse, un soir d'été. Une mère ça chante dans le noir. Une mère ça veille dans le soir. Une mère c'est la rampe de l'escalier. L'escalier et ses marches glissantes. L'escalier et ton pas maladroit. Une mère ça sait quand le coup de pied au cul sera plus bénéfique que la caresse sur la joue. Une mère c'est une issue dans un calvaire sans issues. Une mère c'est un docteur. Une mère c'est un psy. Une mère c'est une infirmière. Une mère c'est une enseignante, un chauffeur et une couturière. Une mère c'est un justicier, une coiffeuse et une cuisinière. Une mère c'est une femme de ménage, un flic, et une secrétaire. Une mère c'est une sainte. Une mère c'est une ballade à la harpe entre les tirs d'obus. Une mère c'est l'odeur du lilas. Une mère c'est la douceur d'une nuque de bébé, et la force du guerrier. Une mère c'est la limpidité de l'amour, c'est la générosité du philanthrope, c'est la sagesse du vieux Japonais. Une mère ça sent bon. Une mère ça sait quand dire non. Une mère ça tient bon. Une mère c'est le tronc d'arbre au-dessus de la rivière, c'est l'igloo encore debout, au loin, dans la toundra, et c'est celle qui, au sein de la noire et effrayante forêt, a allumé le feu de joie. Une mère c'est l'odeur de la viande qui cuit. C'est un bout du mimosa qui trempe dans un joli vase, au milieu d'une table soigneusement dressée. C'est la perfection d'un repas. C'est le tablier de cuisine délavé, qui devient petite robe de soirée. Une mère c'est un sentiment et une nécessité. Celui et celle d'être aimé.

Je disais donc que j'ai vu Bénédicte pendant les vacances, et qu'elle m'a appris une sacrée nouvelle.

Christian est gay.

Mais comme il a trois enfants, issus d'un mariage hétérosexuel, comme il a des parents, issus d'un milieu traditionnel, et comme ils ignorent tous les cinq son changement d'orientation sexuelle, comme il n'a d'ailleurs aucune intention de le leur avouer, eh bien il voulait que Bénédicte joue à la copine. Il voulait faire semblant devant ses enfants et ses parents d'être en couple avec une femme, pour pouvoir fréquenter l'élu de son cœur, le vrai, en paix, sans éveiller les soupçons.

Il s'y est foutrement mal pris, inutile de le mentionner ; pourquoi la faire tourner en bourrique de la sorte ; pourquoi l'avoir choisie, elle, alors qu'elle ne mérite pas cela, alors qu'elle est amoureuse de lui depuis la première fois qu'il a mis les pieds dans son salon ; pourquoi ne pas dire la vérité à ses enfants, qui sont d'ailleurs grands puisqu'il a cinquante-deux ans ; pourquoi ne pas dire la vérité à ses parents, qui sont d'ailleurs grands puisqu'il a cinquante-deux ans ; pourquoi ne pas lui avoir dit à elle dès le début ; pourquoi ne pas lui avoir demandé son opinion ; son idée n'a ni queue ni tête ; sa façon de s'y prendre n'a ni queue ni tête, c'est ce que m'expliqua Bénédicte dans ses mots à elle, tout en pleurant, reniflant, jurant et me reprochant de l'avoir poussée dans les bras de ce connard.

C'est vrai, j'ai en partie contribué à son malheur, mais comment aurais-je pu soupçonner une seule seconde le projet de Christian ? Et c'est quoi, ce plan ? Qu'est-ce qu'il nous fait celui-là, aussi ?! A-t-il vraiment imaginé qu'une femme saine d'esprit allait lui répondre, au bout de trois ou quatre rendez-vous : « Ah okééé ! En fait tu veux juste que je vienne de temps en temps chez toi ou chez tes parents, et qu'on fasse semblant de s'aimer ! Écoute Chris, il n'y a aucun problème ! Vraiment, je n'ai que ça à faire et je serai ravie d'être à ton service tant et aussi longtemps que tu en auras besoin. J'allais d'ailleurs te le proposer, tu m'as complètement devancée, hahaha !!! »

6

Je disais donc que j'ai fait le tri dans ma paperasse. J'ai un gros problème : je suis ultra-organisée dans mon travail mais sacrément bordélique dans mes papiers personnels.

J'ai retrouvé une lettre que François m'avait écrite… En plus d'être beau, cc con est poète. Ce con a tout pour lui. Je me souviens de l'émotion et de l'excitation qui furent miennes à la lecture de ces mots… En la relisant aujourd'hui, elle n'engendre que douleur et regrets. Je dois la brûler.

Mon amour,
Tu me manques amèrement. Pourrais-je continuer encore longtemps à sacrifier toutes ces nuits, tous ces réveils avec toi ? Je ne crois pas…
L'absence de ton odeur est la pire des punitions, je t'en prie, envoie-moi un peu de toi dans une enveloppe, viens jusqu'à moi, viens jusqu'ici, en Californie, où le soleil brille sans toi, où le soleil ne brille pas.
Les concerts s'enchaînent, dans cette vie malsaine

puisque sans toi. Dans cette vie pourquoi puisque sans toi ?

Je suis prêt à tout laisser tomber, je suis prêt à arrêter la musique, du moins les concerts loin de toi... Oui, le temps est arrivé de ne plus te quitter, ce trop long voyage sera le dernier.

C'est toi, mon amour, mon plus bel instrument de musique. Tu les vaux tous, tu les vaux tous mille fois.

Je veux jouer de toi, tu donnes la plus belle musique, une musique de rires et de soupirs, une musique qui empêche de mourir, une musique qui tout le temps me fait guérir.

J'aimerais jouer Ma préférence, *sur toi. La chanson commence par un* do, *et le* do, *ce sont tes seins. Aimerais-tu que je m'attarde sur tes seins, mon amour ? J'aime le son tu fais quand je les suce.*

Le ré, *c'est ton cou. Le* mi, *ta bouche. Le* fa, *tes ais-selles. Le* sol, *ton sexe. Le* la, *c'est l'intérieur de tes bras. Le* si, *c'est ton petit trou.*

Je veux te rejoindre et jouer un morceau de toi. Je veux t'étreindre et jouer mille morceaux à travers ta voix. Je suis ton auteur-compositeur-interprète, et toi mon piano. Et toi ma guitare. Et toi mon violon. Si tu ne veux pas que je sois ton musicien, laisse-moi être ton peintre. Laisse-moi tatouer des anges et des tour-nesols sur ton sexe avec ma langue. Laisse-moi faire de toi un paysage céleste, laisse-moi faire de toi une créature onirique, dont seul mon sommeil aurait l'ac-cès, dont seul mon sommeil pourrait me séparer, et plus jamais le trajet.

Je reviens dans deux semaines, j'ai hâte de te serrer dans mes bras... J'ai hâte de ne plus te quitter. J'ai hâte qu'on recommence. Qu'on refasse une petite Catherine, qui aura tes oreilles, ou un petit François, qui aura mon front. Cette fois il ne te quittera pas. Cette fois il restera avec nous. Et maintenant je vais rester avec toi.

Ton François, dont la vie loin de toi ressemble
à un feu d'artifice en plein jour

7

19 janvier 2015

C'était la journée de l'exposé oral et j'avais installé une télé dans la classe. En novembre j'avais lancé un travail appelant les élèves à s'interroger sur leur passion ; je leur demandais d'expliquer ce que cela leur apportait, en utilisant leur plus beau vocabulaire. Ils pouvaient s'aider d'une feuille, le but n'étant pas de faire travailler leur mémoire, simplement leur plus beau parler. Laurence était hospitalisée mais avait tenu à faire son exposé malgré tout. Elle avait donc demandé à sa mère de la filmer à l'hôpital. Comme si elle avait été là, j'ai diffusé sa vidéo après que son nom fut tiré au sort. Elle portait une perruque châtaine dont les cheveux arrivaient aux épaules, et un léger maquillage lui donnait l'air relativement en forme.

POURQUOI J'AIME LE PIANO

Je joue du piano depuis que j'ai six ans. Au début, je ne voulais pas toujours aller aux cours ni faire mes exercices à la maison. C'était compliqué... Je ne voyais pas à quoi ça servait... Et je perdais ma patience très vite quand je n'y arrivais pas.

Je ne comprenais pas pourquoi je devais faire du piano et j'étais certaine que je n'arriverais jamais à jouer convenablement, de longs morceaux rapides comme les adultes.

Mais mes parents ont insisté.

Au bout de quelques mois, je savais déjà jouer plusieurs petits morceaux, et là, j'ai compris que le piano serait un grand bonheur pendant toute ma vie. Que si je le voulais, je pourrais progresser durant toute ma vie. Que même dans les pires moments, il y aurait au moins une chose positive.

Au début, quand j'appuyais sur plein de touches, ça donnait quelque chose de vraiment désagréable et pas joli pour les oreilles. Maintenant, quand je joue, j'ai le pouvoir de produire quelque chose de magnifique, ou de toujours horrible, comme au départ.

C'est un peu pareil avec la vie. En apprenant et en vivant des expériences, parfois bonnes, et parfois mauvaises, on a ensuite le pouvoir d'en faire quelque chose de beau ou de laid. Notre vie c'est comme notre piano. On peut s'en servir pour faire quelque chose de beau et qui nous fait du bien, ou bien pour faire quelque chose d'insupportable pour nous-même et ceux qui nous entourent. Et si on choisit cette solution, tous les autres quittent la pièce. On se retrouve alors tout seul, alors qu'on aurait pu jouer une superbe mélodie, et rassembler plein de monde autour de nous. J'appelle ça la mélodie de la vie.

C'est pour ça que j'aime le piano.

On peut jouer toujours la même note...

On peut juste... regarder le piano... et rêver à de belles mélodies...

On peut jouer des notes n'importe comment... et produire un son horrible...

Ou on peut se servir de ce qu'on a appris, et jouer de beaux morceaux.

C'est une question de volonté... Parce que même si je sais qu'en jouant des notes dans tel ordre ça ne donnera pas un beau résultat, et même si j'ai les meilleurs professeurs au monde, si je n'ai pas envie de bien jouer, ça ne donnera rien.

Je suis en contrôle de ma musique et aussi de ma vie.

La vie est devant nous, comme un piano. À nous de décider si on la regarde, si on joue quelque chose qui fait mal aux oreilles, ou si on joue quelque chose qui fait du bien...

Maintenant, j'aimerais vous jouer un morceau que j'adore et qui me fait beaucoup de bien.

Un synthétiseur avait été installé dans sa chambre d'hôpital. Laurence joua et chanta *Place de la République*, de Cœur de Pirate. Les élèves ne dirent pas un mot pendant le morceau et applaudirent chaleureusement à la fin. Du fond de la classe, j'eus du mal à contenir mes larmes en l'écoutant jouer... D'ailleurs, je ne les contins pas toutes. Laurence fit couler mes larmes. Laurence me ressuscita.

PARTIE
5

1

Deux jours plus tard, je décidai de rappeler Jean-Philippe.

Il est de ces coups de fil que je suis incapable d'assumer avec majesté, du moins avec assurance, sans m'être préalablement installée dans des conditions optimales. Les gens me voient comme je me vois, ai-je pour idée. L'image que je projette est celle que j'ai de moi-même ; ainsi dois-je éviter de me témoigner l'estime que je témoignerais à une poignée de tiroir. Pour cela, un travail extérieur et intérieur est nécessaire.

L'idéal est que je porte des talons hauts ; aucune femme ne se sent comme une merde avec des talons hauts. Ou en tout cas de jolies chaussures. Si je ne porte ni l'un ni l'autre, je préfère être nu-pieds qu'en pantoufles. Les pantoufles, à l'instar des pyjamas à rayures ou à nounours, me rendent dépressive. En étant habillée comme si j'allais travailler ou boire un verre, cette partenaire capricieuse et lunatique que l'on nomme confiance en soi ne me faussera pas compagnie, et je me sentirai probablement légère et tout à fait respectable en raccrochant. Ma robe de chambre saumon a beau être douillette et réconfortante, m'envelopper de douceur jusqu'aux chevilles, son trop-plein d'amour m'étouffe et émascule mon amour-propre.

Je dois également avoir été productive dans les heures précédant le coup de fil. Ou avoir été débordée (l'un n'engage pas forcément l'autre). Je ne me sens pas bien après avoir glandé. Je n'ai pas une haute opinion de moi-même et je suis sûre que ça se sent. Oui, ça se sent forcément. Les grands nerveux ayant la chance de savoir la date et l'heure auxquelles aura lieu un coup de fil qui les stresse doivent absolument s'occuper l'esprit et les mains. C'est pourquoi, comme pour le premier appel que j'avais passé à Jean-Philippe, je m'imposai ce qui doit être, je suppose, une journée de femme d'affaires, avant de rappeler ce gars qui se branle de la Russie, qui pense que j'ai un frère, et qui a un copain qui s'appelle Fred, lequel a une amie dont j'ignore le nom, mais que je devrai de toute évidence avoir à l'œil si Jean-Philippe et moi devenons intimes.

J'ai respiré un grand coup, j'ai pris une gorgée d'eau, je me suis éclairci la voix, j'ai repris une gorgée d'eau, Jean-Philippe a décroché, Jean-Philippe m'a fait part de sa surprise, de la joie que lui procurait ma réapparition, Jean-Philippe m'a demandé premièrement si j'allais bien, puis si mon frère était bien arrivé, Jean-Philippe et moi étions heureux de nous parler. « C'est toujours inquiétant quand un proche prend l'avion quelques jours après un gros crash aérien », me confia-t-il. Nous discutâmes longuement, il parlait un tout petit peu plus que moi, c'est normal, il revenait d'Islande, et mise à part la réponse que je fournis à sa deuxième question, je n'eus à aucun moment le sentiment de le prendre pour un con.

Puisque j'avais suggéré à Bénédicte de faire le premier pas avec son sempiternel Christian, je me devais d'adopter la même ligne de conduite avec Jean-Philippe, même si ça ne faisait pas des mois que notre affaire s'encroûtait. Il accepta ! Il accepta avec plaisir que nous nous rencontrions, m'affirmant encore à quel point cette histoire, moi, ce rendez-vous… étaient complètement surréalistes, mais aussi les bienvenus, finalement. À quel point j'étais un sacré personnage. Son accueil me surprit autant qu'il me charma.

Je lui demandai s'il aimait la cuisine asiatique, il me répondit que oui ; je lui demandai si ce vendredi soir lui convenait, il me répondit que non ; il me demanda si ce samedi soir me convenait, je lui répondis que oui ; il me dit qu'il avait hâte de me rencontrer, je lui répondis que moi aussi.

2

Nous n'allions pas dans une pizzeria, et nous n'allions pas à l'opéra. Je mis donc un jean skinny, une chemise en soie gris foncé et fluide, ajustée et rentrée dans mon pantalon, et des bottes noires, à talons. N'ayant pas une grosse poitrine, je peux me permettre de laisser plusieurs boutons du haut en liberté sans avoir l'air vulgaire. J'agrémentai mon joli triangle de chair d'une chaîne en argent, au bout de laquelle pendait mon animal en voie d'extinction préféré : la tortue grecque.

Sans entrer dans les détails de nos mensurations, grains de beauté et cicatrices de varicelle, nous nous étions décrits brièvement, histoire de nous reconnaître au restaurant. Histoire d'assouvir un peu notre curiosité et faire taire nos inquiétudes. Histoire de savoir s'il fallait penser notre tenue en surface seulement, ou si les sous-vêtements devaient eux aussi être choisis avec réflexion. Oui, j'avais pensé à cela. J'étais sans conteste sur la voie de la guérison.

Je savais donc que j'avais rendez-vous avec un brun d'un mètre soixante-dix-huit très exactement, « ni gros, ni maigre, juste parfait » ; un brun dont les yeux seraient bruns aussi, la chemise noire et les chaussures estampillées Converse, de couleur rouge. Lui aussi aimait donc les Converse. Si ça, ce n'est pas un signe. Un beau petit look en perspective. Il m'avoua qu'il avait encore plus envie de me rencontrer maintenant que nous avions dévoilé nos plastiques respectives, car « la blonde mince est sa femme préférée ». Le diagramme circulaire de sa personnalité se précisait un peu plus dans mon esprit et, sans bien sûr prétendre que j'en connaissais maintenant toutes les divisions, que j'espérais nombreuses et multicolores, je pouvais affirmer que l'humour y occupait plus de place qu'un brin de gazon.

Par chance, je trouvai une place de stationnement à quelques mètres du restaurant. Pendant que mes doigts frigorifiés inséraient de l'argent dans le parcmètre, une voix masculine prononça mon prénom, avec un point d'interrogation à la fin. Je me retournai ; c'était lui.

— Jean-Philippe ?

— Affirmatif ! me répondit-il avec un grand sourire. Je me doutais que c'était toi.

J'avais, avant même le premier coup de fil, souhaité qu'il ait de jolies dents, et pas plus d'un animal domestique ; de préférence un chat. Mon premier vœu était exaucé.

Un mélange de timidité et d'enthousiasme me portait, et je crois que c'est ce qu'il y a de plus beau chez une femme. Oui, ce sont elles – nous – les plus charmantes. Les timides-enthousiastes.

— Enchantée ! dis-je en lui tendant la main. Tu as trouvé facilement ? ajoutai-je, timide-enthousiaste.

— Oui, sans aucun problème, répondit-il en s'approchant pour une bise.

Je crois que nous étions sous le charme tous les deux, à la seconde où je me suis retournée. Je le sentais même un peu surpris. Disons que je le sentais moins détaché, moins crâneur que la toute première fois, au téléphone.

— Alors… ? Pas trop déçu ? demandai-je.

— Hum, je serais bien difficile si j'étais déçu. Tu vas très bien avec ta voix… !

Répondre avec cohérence et assurance.

— Merci ! Enfin… C'est un compliment j'espère ?… dis-je avant de rire TRÈS connement.

— Ah oui, c'en est bien un ! Tu as une très jolie voix et… le reste est encore plus joli. Et moi, est-ce que je suis joli ?

Je ris à nouveau, un peu moins connement mais nerveusement.

— Oui, tu es un très joli garçon ! Un joli garçon que suis bien contente de rencontrer devant ce parcmètre plutôt que dans le resto… Je me sens… plus à l'aise. Ça fait moins conventionnel… !

— On peut passer la soirée ici, si tu veux. J'ai un vieux manteau dans ma voiture ; on pourrait s'asseoir dessus et discuter.

Il avait le sens de l'humour et des yeux tout à fait pétillants. De ces yeux qui ne savent pas traduire la souffrance d'une âme et qui, sur un corps de dépressif, brouillent les pistes. Une étonnante complicité avait tout de suite pris les commandes de ce début de rendez-vous, apaisant instantanément ma fébrilité et attisant, avec la même rapidité, mon désir de le découvrir.

Jean-Philippe était propriétaire d'un restaurant proche du Vieux-Port, âgé de trente-sept ans et fan de voyages. Les affaires marchaient très bien et le globe était son pâté de maisons. Youpi youpa : il n'était PAS médecin humanitaire.

En juin dernier, sa compagne des douze dernières années lui avait annoncé qu'elle le quittait car elle était tombée amoureuse d'un autre homme. Yann. Elle et lui se fréquentaient déjà en cachette depuis plusieurs mois, elle et lui s'aimaient à la folie et allaient avoir un enfant. Elle venait de l'apprendre.

Elle avait vidé son cœur sur la table de la cuisine un mercredi soir, alors que Jean-Philippe préparait des raviolis, sa spécialité. En moins de quinze minutes, c'était officiellement et irrémédiablement terminé entre eux.

Son histoire me retourna, me renvoya à ma propre histoire, et me fit l'apprécier encore plus. Il connaissait Yann depuis de nombreuses années, puisque c'était un grand ami de son frère. Bien sûr, Jean-Philippe en avait voulu à son frère pendant des semaines. Et son frère se sentait atrocement mal, coupable et impuissant. Il avait coupé les ponts avec son ami d'enfance sur-le-champ, après lui avoir abîmé quelques os. Yann n'avait pas porté plainte. Il avait dû se dire qu'un nid de tourtereaux défoncé à la hache vaut bien deux côtes fêlées. Finalement Jean-Philippe s'était raisonné et avait rappelé son frère pour s'excuser. Il ne pouvait s'en prendre qu'à lui-même. Il ne voulait pas d'enfants tout de suite mais elle oui ; elle venait d'avoir trente ans et se sentait prête depuis plusieurs années, elle venait d'avoir trente ans et était maintenant pressée. « Même quand ils ne sont pas là, les enfants foutent la merde », m'avait-il précisé.

À présent son deuil était fait, il en avait bavé salement les premiers temps mais aujourd'hui c'était terminé pour de bon. Cela faisait sept mois et son ex avait d'ailleurs probablement accouché. Il s'en « branlait totalement ». Il était encore frais et en forme, il avait « la vie devant lui ainsi qu'une charmante demoiselle un peu folle, mais craquante ». J'étais troublée et je lui confiai mon sourire, le vrai, celui que j'avais perdu deux ans plus tôt.

Physiquement, il avait une bonne bouille de gars gentil et bien dans sa peau, une bouille encore un peu juvénile, avec un front, des yeux surmontés de sourcils, un nez ajouré de narines, une bouche entourée de lèvres, et des joues, des joues qui accueillaient, à chaque sourire, la plus jolie chose qui puisse arriver à des joues après le rouge instinctif de l'émotion : des fossettes.

Une carrière passée, présente ou future dans le mannequinat était certes difficilement envisageable mais sincèrement, je m'en moquais. J'aimais sa personnalité, le fait qu'il soit drôle et simple, et son charisme renversant. Sa façon de dire « soupe won-ton », et la liberté avec laquelle il existait. Son sourire encore une fois, et ses mains.

Son sourire.

Ses mains.

Son sourire.

Ses mains.

Ses mains.

Ses mains.

J'étais obsédée mais, comme je m'adonnais avec application à tous ces gestes de femme qui a un premier rendez-vous au resto, il ne s'en rendit probablement pas compte. Je prenais une bouchée, je répondais à ses questions, je décroisais mes jambes pour les croiser dans l'autre sens, je riais, je buvais une gorgée, je replaçais mes cheveux sensuellement, peu importe : quel sourire, et quelles mains, surtout ! Je suis très sensible aux mains. J'aime les belles mains. Ne me montrez pas le trajet sur une carte avec votre main, je ne regarderai pas le trajet à suivre. Je regarderai votre main. Et je me perdrai. Je me perdrai dans votre main puis je me perdrai sur la route. Je contemplerai ses veines. Leur relief. Son grain de peau. Ses imperfections. Ses bobos. Ses cicatrices. Ses ongles. Ses bijoux. Ses poils. Ses doigts. Leurs plis. Les mains demeurent l'une des premières choses que je remarque chez les gens. Et si elles me plaisent, il est tout à fait possible qu'elles demeurent la seule chose que je remarque.

— Alors !… LA question de la soirée, que j'attendais impatiemment de te poser comme tu dois t'en douter : d'où vient finalement ce papier… ? À qui l'avais-tu donné ?… Une future conquête ? Un client ? Un nouvel ami ?

— Ahhh ! Ce fameux papier… Comme je te disais au téléphone, franchement : j'en ai AUCUNE IDÉE, c'est ça le pire ! Ça doit faire une éternité, je ne vois pas d'autres explications. D'ailleurs, est-ce que je peux le voir, *please* ?

— Oh, désolée, je ne l'ai pas apporté… C'est vrai, j'aurais dû… !

— Ah, merde… J'aimerais vraiment le voir la prochaine fois en tout cas. Je ne comprends pas…

Bon. Disons-le clairement : il est *très bon* acteur. Que refusait-il de m'annoncer ? Qu'il était finalement en couple ? Qu'il n'était pas le Jean-Philippe en question ? Qu'il était marié avec la bibliothécaire ? Qu'il avait décidé de se venger des femmes en général et de la nouvelle Mme Yann en particulier ; nous étions douze futures victimes, une par année de couple avec son ex, une à une il allait se payer notre tête, une à une il allait nous rendre amoureuses de lui, puis nous faire pleurer, puis nous faire regretter d'avoir été suffisamment jolies pour qu'il jette son dévolu sur nous ? Quoi qu'il en soit je pris sur moi avec maestria.

— Et sinon, comment va ton frère ? Il était parti pour affaires ? Vacances ?

— Mon frère ? Oui, il va très bien, merci. En fait il part régulièrement pour son boulot. Il est souvent à l'étranger et on ne se voit vraiment pas souvent.

— Ah ouais ? Et qu'est-ce qu'il fait comme boulot ?

— Médecin humanitaire. Médecin humanitaire, voilà, je ne sais pas trop comment ça se passe exactement, il est très discret sur sa vie professionnelle… Et toi ? Tu as des sœurs ? D'autres frères ?

Jean-Philippe demanda de l'eau au serveur qui zozotait légèrement ; j'en profitai pour avaler ma salive.

— Non je n'ai que mon frère. Il vit à New York. Médecin humanitaire ?! C'est super ça ! J'admire ces gens qui dédient leur vie aux autres.

— Oui… ! Moi aussi ! Et… j'imagine que tu vas le voir régulièrement ? Ton frère ?

— Affirmatif ! Mais il est souvent ici lui aussi. Sinon… Catherine de Russie, ça t'arrive souvent d'appeler des inconnus comme ça, ou je suis le premier… ?

— Non… dis-je avec un sourire embarrassé. Tu es le premier… Tu me prends pour une folle, hein… ?

— Hum… Un peu, oui !

Puis il croqua dans son rouleau de printemps.

Je m'en étais plutôt bien sortie avec mon frère Gérard, Pierre, pardon, et je ne pense pas que ma réponse sonnait comme un mensonge. Mais il fallait vraiment que

je lui dise la vérité. Après tout ce n'est pas si grave !
D'ailleurs j'aurais déjà dû le lui dire. Là, à l'instant.
C'était le moment idéal. Non, au lieu de ça j'ai conti-
nué à m'embourber dans mon mensonge. Je suis
conne. Et je ne savais toujours pas comment ce papier
est arrivé dans ce livre de Françoise Sagan. MERDE !
Pour le reste, *excellente soirée*.

C'était un gentleman, il m'a ramenée jusqu'à ma
portière. C'était un gentleman, il n'a rien fait pour me
sauter. C'était un gentleman, et je voulais le revoir. Il
était une fois une fille qui emprunte un bouquin de
bibliothèque au hasard, qui tombe sur un papier par
hasard, qui fait un truc complètement débile, qui passe
d'ailleurs pour une débile, puis qui rencontre un mec
bien. Le hasard et les trucs débiles font bien les choses.
Alors, oui, quand on a une idée folle en tête on
l'écoute, et on emmerde ceux qui nous disent que c'est
insensé. Vivre sagement n'a finalement aucun intérêt,
tout comme boire du potage tiède.

3

Nous nous étions rencontrés sur la terrasse d'un café, un après-midi d'été. Je lisais une des plus belles histoires que j'aie lues dans ma vie, et je m'interrompais de temps en temps pour regarder en face, de l'autre côté de la rue. François est arrivé de nulle part et s'est assis à côté de moi. Il m'a dit :

— On fait leurs voix ?!

Je lui ai dit :

— Pardon... ??

— On les regarde tous les deux depuis tout à l'heure. Ils nous fascinent, mais on ne sait pas ce qu'ils se disent. C'est frustrant...

Je me mis à rire car j'étais amoureuse et lui sérieux. J'ai posé mon livre sur la table. J'ai proposé de faire la fille, et lui le gars. Forcément.

— Elle est bonne ta glace ?

— Oui, oui, délicieuse. C'est aux poivrons verts. Tu veux goûter ? demanda-t-il.

— Non merci. Je ne savais pas que tu étais vietnamien ?

— Haha ! Hahaha ! Je n'ai pas les traits, mais j'ai les origines !

— Oh attends, mon pied gauche me démange. Je dois me pencher légèrement, voilà, comme ça. Ah ! Ça fait du bien dis donc ! dis-je avec soulagement.

— Haha ! Hahaha ! C'est drôle de te regarder te gratter le pied comme ça !

— Ha ha ha HA HA HA HA !

— HAA HAA HAA HAAAAAA ! C'est fou ce qu'on a du plaisir. Je suis sûr que toute la rue nous entend rire, mais ils ne savent pas pourquoi, dit-il en continuant de transformer les r en l.

— Ahhhhh… Attends, laisse-moi reprendre mon souffle. J'ai trop ri. Hummm. Ma glace est vraiment bonne, moi aussi. Je la savoure avec appétit. Ah attends. Ça me gratte encore. Il faut aussi que je replace mes lunettes de soleil.

— Regarde les deux assis côte à côte là-bas, à la terrasse.

— Oui, je les vois.

— Ils vont bien ensemble, tu ne trouves pas ?

— Euuuhh oui ! répondis-je.

— Tu crois qu'ils sont en couple ?

— Mmmmm… Difficile à dire. Peut-être. Ou c'est peut-être son frère. Ou son meilleur ami.

— Tu as raison… Il faudrait qu'ils s'embrassent et on en aurait le cœur net.

Je me mis à rire, embarrassée, et il approcha son visage du mien. Il attendit que mes yeux disent oui, puis me débarrassa de ma gêne et de mon célibat en un baiser.

Le lendemain il débarquait chez moi avec un petit pot de plastique et un paquet de cornets.

— C'est moi qui l'ai faite, spécialement pour toi, m'annonça-t-il en me tendant un cornet surmonté d'une boule de glace douteuse. Goûte, sinon je vais être vexé.

J'aspirai un petit bout.

— Arkkk !! Mais c'est immonde !!

Il m'avait fait de la crème glacée aux poivrons verts. Il me jura de manger le pot complet devant moi si j'acceptais de l'accompagner en tournée, pendant deux semaines. Il partait le lendemain. J'étais en vacances. Je lui ai dit que les voyages à deux déterminent si oui ou non les gens sont faits pour être ensemble. Il m'a dit que c'était faux. Qu'il faut s'être donné le temps de faire un château de sable et un bonhomme de neige pour dire qu'on a essayé. Nous avons fait l'amour sur le comptoir de ma cuisine. J'ai terminé *La Petite Fille de Monsieur Linh* dans l'avion.

4

La maman de Laurence avait répondu à mon courriel avec enthousiasme et la perspective de ma venue prochaine à l'hôpital enchantait sa fille. En lisant sa réponse, je me sentis nulle. Nulle de ne pas avoir proposé plus tôt de lui rendre visite.

Dans l'ascenseur qui menait au quatrième étage, je me demandais encore comment j'allais me présenter à elle. L'air désolé ? Surtout pas… L'air comme si de rien n'était ? Oui et non… L'air euphorique ? Non plus… Et qu'allais-je dire à cette petite Laurence ? Je ne pouvais pas lui demander si ça allait bien, ni ne pas prendre de ses nouvelles… Je décidai finalement de ne rien préparer, et de faire confiance à mon instinct.

En arrivant dans sa chambre, j'eus instantanément droit au plus beau des sourires et au plus sincère :

— Oh ! Vous êtes vraiment venue !

Je répondis avec spontanéité :

— Bien sûr que je suis venue ! Tu ne pensais quand même pas échapper à mon impossible et super difficile dictée !

Elle continua à sourire, un peu hésitante, et me demanda, dans la foulée :

— C'est vrai… ? On va vraiment faire une dictée ?

— Mais non ma belle. Je plaisantais. Quoique… Si tu veux en faire une, on peut… !

— Hummm… Une autre fois… !

Je tentai comme je pus d'être à la hauteur de ses attentes et de la situation, et je crois que je réussis plutôt bien… Une infirmière avec des Mickey imprimés sur l'uniforme entra pour lui poser une question à propos de ses maux de cœur, avec une douce bienveillance. Laurence répondit que ça allait un peu mieux et fit les présentations, toute fière, expliquant que c'était moi la prof de français pour qui elle avait fait un exposé sur le piano. L'infirmière, qui devait avoir à peu près mon âge et dont les cheveux bruns étaient soigneusement emprisonnés dans une grosse pince rose, me demanda si Laurence avait eu une bonne note. Je répondis que oui, qu'elle était même dans les meilleurs. Ma réponse la ravit et elle félicita Laurence avec engouement, en caressant sa jambe par-dessus la couverture. « À plus tard, ma cocotte ! » lui dit-elle finalement, avant de me saluer et de quitter la chambre.

Je voyais que Laurence regardait du coin de l'œil mon sac plastique, alors j'en sortis le cadeau. Elle était ravie et un peu gênée, aussi, quand elle eut confirmation que c'était bien pour elle. Lorsqu'elle le déballa, je crois qu'elle fut contente.

— Ohhh ! Mais… ! C'est le tatouage de Cœur de Pirate… !?! Ouahow !! Merciii ! Est-ce que c'est vous qui l'avez dessiné ?!!

— Non, ma belle. Je ne sais même pas dessiner un

chat, alors tu imagines ! C'est un ami à moi qui l'a dessiné. Spécialement pour toi.

— Ohhh ! Il est vraiment gentil ! Et comment vous avez su que j'adore Cœur de Pirate ?!

— Ta maman me l'a dit. Et puis tu as si bien joué et chanté après ton exposé que j'ai tout de suite compris à quel point elle te faisait du bien. Tu étais rayonnante ! Et tu es très douée !

— Ah oui ?! Merci ! dit-elle, intimidée. Je suis contente que vous ayez aimé ça. Je connais toutes les paroles de ses chansons par cœur. Maintenant je veux les connaître aussi bien au piano.

— Je suis certaine que tu les joueras toutes aussi bien qu'elle ! Tu peux faire ce que tu veux avec ce foulard. Soit le porter autour du cou, soit mettre ta jolie tête au chaud dedans, en attendant que tes cheveux repoussent. Tu peux aussi l'accrocher au mur, pourquoi pas… Ça ferait une belle déco !

— Oui, il y a plein de choses à faire avec ! dit-elle en le tenant à bout de bras, pour mieux le contempler. Est-ce que vous voulez bien m'aider à l'attacher ? dit-elle en le plaçant finalement sur son crâne.

— Oui, avec plaisir !

Je m'approchai d'elle.

— Ce dessin te représente parfaitement, ma belle puce, dis-je en essayant de faire un nœud original. Tu es mignonne et douce comme Alice au Pays des Merveilles, mais tu es aussi forte, courageuse, et armée pour te battre. Exactement comme ce dessin.

Elle sourit, troublée.

— Tu sais ce qu'il manque pour que tu sois parfaite ?

— Non ?

— De *superbes boucles d'oreilles*. As-tu les oreilles percées ?

— Oui. Mais… j'ai pas de boucles d'oreilles ici.

— J'aimerais t'offrir les miennes. Mais avant toute chose, dis-moi si elles te plaisent, ajoutai-je en les soulevant du bout des doigts. Si tu les trouves horribles, ne te sens pas mal à l'aise de me le dire, surtout !

— Non, elles sont très très belles… ! Mais… je ne peux pas vous prendre vos boucles d'oreilles… !?

— Si, si. J'insiste ! Je suis ravie de te les offrir, vraiment. J'en ai des dizaines de paires chez moi, tu sais. Accepte ! S'il te plaît, s'il te plaît, s'il te plaît, s'il te plaît ! dis-je en minaudant comme une enfant qui veut convaincre son papa de lui lire une troisième histoire.

Laurence se mit à rire de bon cœur malgré son cancer, son lit d'hôpital et son traitement. Malgré l'incertitude, les nausées et la fatigue. Malgré les nuits loin de sa grande sœur et de son papa, et malgré le clown même pas drôle pour qui elle se force à rire à chaque fois, parce qu'elle ne veut pas lui faire de peine. Cette enfant me bouleversa profondément et me ressuscita une seconde fois. Qui suis-je pour pleurer aussi souvent ? Qui suis-je pour préférer l'idée de la mort à celle de mon existence un soir sur deux ? Ma vie n'est finalement qu'une petite ébauche du malheur et mon tourment n'a plus lieu d'être. À moi de recommencer. À moi d'effacer. À moi d'aiguiser mon crayon, de refaire le dessin, et de le saturer de rose, de paillettes et d'étoiles. Je ne sais pas dessiner les chats et les chevaux, mais je suis encore capable de faire des soleils.

— D'accord ! Mais si elles vous manquent trop, vous me promettez de me le dire, et je vous les rendrai tout de suite.

— Promis, juré ! dis-je en les retirant. Tiens, elles sont à toi.

Elle me redemanda mon miroir de poche et accrocha mes petits bonshommes de neige à ses oreilles. Elle se trouva belle et me remercia, d'un sourire ému. Je regrettai à cet instant de ne pas pouvoir en faire plus. Je regrettai de ne pas m'appeler Béatrice Martin. Je regrettai de ne pas pouvoir prendre sa place.

Lorsque je sortis de la chambre, sa mère vint me rejoindre. Je lui dis que sa fille n'était pas seulement douée pour le piano. Elle apprenait aux âmes fragilisées la marche à suivre comme personne, et c'était une excellente enseignante.

Je vis ses yeux se remplir de larmes et de gratitude, même si elle n'avait nullement besoin de me remercier.

« Vous aussi, Catherine… Vous êtes une excellente enseignante. Elle vous aime beaucoup… Merci d'être venue. »

Je n'ai pas pu résister, et je l'ai serrée contre mon cœur.

5

Ce matin-là, Charles se trouvait à l'école, une présence aussi inhabituelle que préoccupante. Nous ne le voyions qu'exceptionnellement, une ou deux fois par an ; depuis longtemps Ulrich demeurait notre unique supérieur hiérarchique. Tout le personnel de l'école était convoqué dans la salle de réunion.

« Bonjour à tous et... merci d'être là. J'ai quelque chose de très dur à vous annoncer... Il n'y a pas de façon d'amener ce genre de nouvelles, alors... je dois vous dire qu'Ulrich est décédé... Il s'est ôté la vie hier... »

Ma tête se mit à tourner et je dus me concentrer pour ne pas faire de malaise ou me comporter d'une façon qui aurait pu susciter des interrogations. Marie-Louise était à côté de lui et pleurait doucement, tout en dignité.

Le coup fut violent pour tout le monde.

Certains se mirent à pleurer... D'autres eurent le réflexe de se lever quasi instantanément pour aller prendre Marie-Louise dans leurs bras...

D'autres avaient la paume sur la bouche, les yeux écarquillés...

Sylvie ne bougeait pas. Sa tête reposait sur sa main et son corps semblait sur le point de lâcher.

Je n'allais pas bien non plus, mais il ne fallait pas que j'aille moins bien que les autres.

« Mais pourquoi a-t-il fait ça… ? » osa un prof de sport.

« Je n'arrive pas à le croire », dit une autre…

Oui, qu'y a-t-il d'autre à dire, dans de tels moments ? On n'en revient pas avant plusieurs jours et on veut comprendre pourquoi.

Qu'avais-je fait ?

Je venais de briser une famille… Un couple… Une vie…

Ma tête ne cessait de tourner, je ne devais pas le montrer, surtout.

Surtout pas.

Surtout pas à Marie-Louise.

Il fallait prévenir Margaux au plus vite. Il fallait que l'on se taise. Il fallait que nous passions un accord solide de toute urgence, selon lequel ni elle ni moi ne divulguerions jamais ce que nous avions fait.

Charles nous annonça qu'il prendrait la place d'Ulrich temporairement, mais qu'il désignerait un nouveau directeur dans les semaines à venir. Il ignorait encore de quelle manière serait nommé son successeur.

Dès que j'eus un moment de libre, je sortis de l'école pour téléphoner à Margaux. Elle ne répondit pas. Je lui laissai un message, en larmes.

« Margaux… Ulrich s'est suicidé… Ulrich est mort, putain… C'est horrible… Il faut qu'on parle… Rappelle-moi dès que tu peux… »

Quand elle arriva chez moi, elle me devança.

« Il faut qu'on garde tout ça pour nous, Catherine. Faut JAMAIS qu'on en parle… À PERSONNE… »

Aurions-nous dû faire ce que nous avons fait ? Était-ce notre faute si Ulrich s'était suicidé ou la sienne ? Marie-Louise avait-elle parlé de la lettre à Ulrich ou lui avait-elle annoncé qu'elle savait, sans rien en dire ? Ulrich se doutait-il que quelqu'un à l'école savait ? Autant de questions sans réponses qui ne cessaient de revenir dans notre discussion, de nous hanter. La culpabilité nous accablait autant que le chagrin. Nous en avions beaucoup, du chagrin, même si nous ne portions pas Ulrich dans notre cœur, il était un être humain, il était un père, un mari, un fils, un frère. Ce fardeau était trop lourd à porter.

Finalement, après une éprouvante soirée de réflexion, d'angoisse, de détresse… nous décidâmes de nous « rendre ». Nous décidâmes d'aller chez Ulrich et Marie-Louise, de lui avouer pour la lettre, de nous excuser, de proposer notre aide, notre soutien… Nous décidâmes de faire la seule chose qu'il y avait à faire. Assumer notre geste.

6

Ce lendemain matin, nous nous rendîmes chez eux. Margaux conduisait. Nous ne parlions pas… Je regardais les passants depuis une autre dimension ; je n'appartenais plus à cet univers où la routine suit son cours, où l'on réfléchit à ce que l'on va faire à souper, à ce que l'on va porter samedi soir… Je regardais ces gens à partir du monde qui était le mien depuis vingt-quatre heures. Je regardais ces gens depuis l'enfer, le vrai – finalement ces deux dernières années avaient été une vulgaire piqûre d'abeille. J'étais tellement sonnée que je n'avais même pas la lucidité de les envier. Une vie avait cessé par ma faute. Des enfants ne reverraient plus jamais leur père. Des parents allaient enterrer leur enfant.

— Rue de la Volière… C'est ici, dit-elle. Au numéro 284. On arrive bientôt… Tu es prête… ?

— C'est un cauchemar…

Je sonnai à la porte. Nous attendîmes, gorges et ventres noués, yeux rougis, esprit engourdi par l'horreur de la situation, sans parler de la fatigue, de l'insupportable culpabilité qui nous mitraillaient sans relâche.

Nous n'en pouvions tout simplement plus. Comment les criminels en cavale font-ils pour endurer leur quotidien ?

Un voisin nous salua de la main tout en s'approchant.

— Bonjour. Vous êtes des proches de la famille... ?

— Euhhh... Non, pas exactement... Nous venons voir Marie-Louise.

— Ah... Marie-Louise... Elle ne vit plus ici depuis plusieurs mois. Elle est partie... Avec les enfants. Ulrich vivait seul depuis l'an dernier... Vous savez... ? Pour Ulrich... ?

— Oui. Nous sommes au courant... C'est affreux... Savez-vous où nous pouvons trouver Marie-Louise ?

— Non... Je sais que... elle s'est installée chez son nouveau compagnon. Le patron d'Ulrich...

— Qu... Quoi ? Elle est en couple avec le patron d'Ulrich... ? Charles ?!

— Je ne connais pas son nom... Mais c'est ce que m'avait dit Ulrich. Pauvre homme... Il était si bon... Je suis surpris sans être surpris... Il était dévasté depuis leur séparation...

— Oui... Bien sûr. Merci, monsieur...

— Merci, monsieur...

Nous repartîmes...

Encore plus sonnées.

Avions-nous poussé Ulrich au suicide avec notre foutue lettre ? Pauvre homme... Qu'avais-je fait ? Avait-il seulement ouvert la lettre ? L'avait-il jetée ? L'avait-il transmise à Marie-Louise ? Marie-Louise avait-elle commencé à fréquenter Charles car Ulrich la trompait ? Ou Ulrich avait commencé à se taper Sylvie car Marie-Louise l'avait quitté ? Que de questions sans réponses encore une fois… Nous avions mis les pieds dans une histoire triste qui ne nous regardait pas, et que nous venions de transformer en drame.

Ainsi Marie-Louise vivait-elle chez Charles. Était en couple avec Charles !

En repartant, nous dûmes nous arrêter longuement à la première intersection pour laisser passer un groupe scolaire. Je fixais le vide, le visage écrasé sur mon poing, la bouche entrouverte… J'étais complètement abrutie. Comment Margaux pouvait-elle être capable de conduire…

De retour à la maison, Luc vint vers moi en miaulant, par petites touches. Les petits sons de la quiétude féline. Je me rendis jusqu'à mon canapé s'en m'en rendre compte et parce que je n'aurais rien pu faire d'autre que de m'affaler. Il me suivit, et grimpa sur moi. Je fixai ma collection de miroirs au mur, sans qu'elle m'apporte la moindre satisfaction… Mon salon n'était plus le même, ma vie n'était plus la même : je revenais d'un long voyage et j'avais perdu mes repères. C'est quand Luc se mit à laper la neige de mes bottes fondue au sol que je réalisai les avoir encore aux pieds. Je vivais un cauchemar. J'avais tué un homme.

— Je ne suis pas, il le vaut absente ou pas venue
je vais peut-être jamais dormir... Quel une mère à ?
vous ce soir ?

7

En plein milieu de la nuit, j'appelai Margaux de toute urgence. Elle répondit.

— Ulrich habitait rue de la Volière ? Tu as bien dit de la Volière quand on est arrivées ?!

— Euh. Oui… Pourquoi… ? Tu m'appelles pour ça… ?

— Putain… Margaux… Merci Seigneur.

— Comment ça… ? Qu'est-ce qui se passe, Catherine ?

— Je me suis trompée, Margaux ! J'ai écrit rue des Oiseaux sur l'enveloppe ! Il n'a jamais dû la recevoir ! On n'est pas responsables de sa mort, tu te rends compte ?!

— Tu es SÛRE que tu as écrit des Oiseaux… ?

— Oui ! Absolument. Quand tu m'as appelée pour me donner son adresse, je ne l'ai pas notée car j'étais en voiture. Je l'ai juste mémorisée. J'avais bien écrit 284, j'ai une excellente mémoire pour les chiffres, mais je me suis trompée pour le nom de la rue !

— Tu sais que je t'aime, toi… ? Dors en paix dans ce cas-là. C'est sûr qu'elle s'est perdue…

— Je ne sais pas si je vais dormir en paix, mais je vais peut-être mieux dormir… Quel cauchemar je viens de vivre… !

8

Un ami de Jean-Philippe organisait une soirée, Jean-Philippe souhaitait que je l'y accompagne, j'étais d'accord. Je ne savais pas trop où je m'en allais ce soir-là, mais la première impression que j'eus en pénétrant dans cette maison, c'est que tout ce petit monde aurait plu à Françoise Sagan.

Jean-Philippe ne saluait pas grand monde à notre arrivée et je compris vite pourquoi : il ne connaissait pas grand monde. Presque personne en fait. Il ne connaissait presque personne mais n'était pas le moins du monde intimidé par tous ces yeux qui nous regardaient traverser la pièce en direction de la cuisine, où se trouvait son ami.

J'essayais un peu de voir à quel genre de société j'avais affaire ; des têtes, des styles, de la musique, de la déco étaient là pour répondre à ma question. La moyenne d'âge se situait dans les... trente-cinq ans je dirais, malgré l'octogénaire voûté et attendrissant qui dansait comme si c'était la dernière fois de sa vie, devant deux jeunes blondes amusées qui dansaient comme des filles de leur époque. Tous ces gens formaient un ensemble hétérogène ; il y avait du quelconque, du branché, du vulgaire, de l'exotique, de l'excentrique et deux filles qui discutaient sur un canapé, juste à côté de l'entrée. Je crois qu'il s'agissait plus de la naissance d'un couple que d'une conversation entre copines. En tout cas moi je ne suis pas aussi rayonnante quand je souris à mes amies.

La musique était excellente et donnait envie de danser toute la vie, à cet instant en tout cas : Jean-Philippe et moi faisions notre entrée sur *Till We Die*, de Tomas Barfod, remixée de façon tout à fait sensationnelle par Blond:ish. Le coup de foudre fut immédiat et elle allait devenir ma partenaire de jogging pour très longtemps.

Mes impressions sur la déco pouvaient se résumer ainsi : excessive et magnétique. J'aimais particulièrement ce mur noir dans le salon, le plus grand de la pièce, où étaient inscrits plein de trucs à la craie que je ne pouvais lire en détail en raison de l'éloignement, de la pénombre et de toutes ces silhouettes qui gesticulaient car la vie est courte et la musique un cadeau. Nous nous dirigeâmes vers la cuisine.

« Ahhh ! JP, JP, JP ! Mon JP !! Comment il va ?! » Son copain venait de nous repérer. C'était un grassouillet d'un mètre soixante-cinq, soixante-dix maximum, avec une queue-de-cheval dont on ne savait avec certitude ni la couleur ni le but, puisque ça ne le rendait pas plus sexy que viril. Ses cheveux étaient une confusion de roux et de blond et avaient besoin d'être lavés plus souvent. Ses cheveux pouvaient finalement être rasés dans leur totalité sans que son image n'en pâtisse.

Ils semblaient super contents de se voir, néanmoins je ne fis pas la plante verte trop longtemps car Jean-Philippe possède une grande qualité : le savoir-vivre.

Il me présenta aussitôt après avoir étreint son « Pilou » (Pierre-Louis peut-être ? ou Peter-Ludovic ?) ; j'étais une bonne amie et je venais de Russie. Non, il plaisantait… Il ne fallait pas me draguer car sinon il ne serait pas content. Il fallait aussi nous servir un truc à boire, que Pilou raconte ses vacances en Grèce, et que je n'hésite pas à lui demander si je voulais une cigarette, même si je ne fume pas. Bref, c'était un copain avec qui il avait de bons rapports. Peter-Ludovic n'était pas mon genre, que Jean-Philippe se rassure ; il aurait pu me laisser un mois dans un chalet perdu, seule avec son ami, le seul rapprochement envisageable aurait été entre la nature et moi-même. J'ignore pourquoi, mais il portait un kilt rouge avec un tee-shirt de Rahan, et quand il me servit mon verre de vodka/jus d'orange, je remarquai que ses doigts boudinés étaient remplis de chiffres romains sauf celui du milieu, où c'étaient plutôt de petits cœurs qui meublaient son épiderme. J'avoue que je serais bien désemparée s'il devait me faire un doigt d'honneur.

Puis une grande brune sur qui les campagnes de sensibilisation aux dangers du bronzage artificiel n'avaient aucune influence débarqua de nulle part et entoura ses bras autour du cou de Jean-Philippe, tout en prononçant ses initiales avec un enthousiasme aussi contenu que ses nichons. J'espérai qu'elle fût sa sœur, lesbienne ou sur le point d'émigrer en Thaïlande. Jean-Philippe s'adressa à elle avec la même énergie lorsqu'il lui dit : « Heyyy ! Audrey ! Comment ça va ?! », et encore une fois il me présenta sans tarder, en posant sa main sur ma taille cette fois.

Une femme sent immédiatement lorsqu'elle est en compétition avec une autre, quel que soit l'objet de convoitise, et je sus immédiatement que cette Audrey ne briguait point le lit de Jean-Philippe. Je crois, sans toutefois en avoir la certitude, que je venais tout simplement d'assister aux retrouvailles de deux bons amis et que mon venin n'avait donc pas lieu d'être distillé. Elle me complimenta sur ma robe et nous dit à plus tard ; le fait qu'elle ne s'éternise pas me convint.

Jean-Philippe et Pilou parlaient d'amis communs que je ne connaissais pas et qui n'étaient visiblement pas présents ce soir-là, car personne d'autre ne vint le saluer. Je décidai donc de me rendre aux toilettes, même si je n'éprouvais nul besoin d'évacuer quoi que ce soit. Lorsque j'en sortis, un détour par le salon s'imposait.

Tout de suite, j'eus envie de faire la même chose chez moi. Le tout composait une véritable œuvre d'art et jouissait d'une grande diversité, tant dans les écritures que dans les thèmes abordés. Amour, amitié, philosophie, littérature et même mathématiques : les amis de Pilou étaient nombreux, inspirés et, mise à part Nathou, ne faisaient aucune faute. Voici quelques-unes des nombreuses contributions :

« Ce que l'on garde pourrit, ce que l'on donne fleurit.
– Rebecca »
« C'est en voyant un moustique se poser sur ses testi-
cules qu'on réalise qu'on ne règle pas tous les
problèmes par la violence. – Michel »
« Je crois que je vais avoir la diarrhée. – Pilou »
« Quand je vois tes yeux, je suis amoureux ; quand
je vois ton cul je suis très déçu. – Michel »
« Gros bisous Pilou chéri !! – Nathou »
« J'ai baisé mon cancer. – Noémie »

« *Ton canapé sent le chien enterré. Si tu le brûles je t'en paye un neuf. – Michel* »

« *1 + 1 = 2 – Audrey* »

« *À quoi sert d'être cultivé ? À habiter des époques révolues et des villes où l'on n'a jamais mis les pieds. À vivre les tragédies qui vous ont épargné, mais aussi les bonheurs auxquels vous n'avez pas eu droit. À parcourir tout le clavier des émotions humaines, à vous éprendre et vous déprendre. À vous procurer la baguette magique de l'ubiquité. Plus que tout, à vous consoler de n'avoir qu'une vie à vivre. Avec, peut-être, cette chance supplémentaire de devenir un peu moins bête, et en tout cas un peu moins sommaire. – Mona Ozouf* »

« *Ce qu'on aime est toujours beau.* »

« *Un homme qui ne boit que de l'eau a un secret à cacher à ses semblables. – Baudelaire* »

« *Petit Pilou je parle de toi*
Parce que avec
Tes longs cheveux gras
Tes petites phobies
Tu as jeté sur ta vie
Un éternel célibat – KEN JÉRÉMY »

« *Qui se couche avec le cul qui gratte se lève avec le doigt qui pue. – Michel* »

« *De la neige, les flocons sont les papillons de la saison. – Sam* »

« *Pilou quand est-ce que tu refais un méchoui ??
– Nathou* »

« *Eh ben oui, j'ai eu la diarrhée. – Pilou* »

J'avais lu le mur au complet et comme je trouvais un peu déplacé de m'inviter dans une conversation

dont le sujet m'était aussi étranger que les interlocuteurs, je retournai à mon poste, dans la cuisine, en
zigzaguant à travers de joviaux êtres humains. Je savais
une chose, à cet instant : la citation de Mona Ozouf
n'avait point été une initiative du dénommé Michel.

— Je commençais à me demander si tout allait
bien ! me dit Jean-Philippe à l'oreille, assez fort pour
enterrer la musique.

— Ah… ? Je suis partie si longtemps que ça… ?
J'étais en train de lire ce qui est écrit sur le mur du
salon. J'adore l'idée ! Je n'ai pas vu ton nom. Tu n'as
jamais écrit dessus ?

— Non. Je ne viens pas souvent ici. Ses amis ne
savent pas s'amuser sans se défoncer et moi ça me fait
chier. Tu veux que j'écrive un truc ?

Je souris, joliment je crois, en avalant ma dernière
gorgée.

— Euh… oui… ! Pourquoi pas ?!

— Viens.

Et il me prit la main, et il nous dirigea vers le grand
mur noir. Il choisit une craie dans le bol et écrivit, tandis que la musique jouait à fond juste à côté de nous.

« Tu me plais. »

Je pris une craie à mon tour et répondis juste à côté.

« Merci ! »

Il poursuivit sur la même ligne.

« Et c'est tout ? »

« Et c'est réciproque. »

Il commença une deuxième ligne, juste en dessous.

« Tu es très belle ce soir. »

« Merci. Tu n'es pas mal non plus… »

« On danse ? »

« Avec plaisir. »

Smells Like Teen Spirit n'était pas la chanson la plus appropriée pour danser un slow, mais quand elle était interprétée par Patti Smith, c'est vrai qu'elle donnait plus envie d'enlacer un homme sensuellement que de « charger ses pistolets et emmener ses amis ». C'est ce que nous fîmes. Nous nous enlaçâmes sensuellement. La dernière fois que je m'étais retrouvée dans les bras d'un garçon à pirouetter sur place au rythme d'une chanson lente remontait à mes années de collège. Jean-Philippe était moins empoté que mon dernier partenaire mais ce pauvre garçon était tout à fait excusable : il était vilain comme tout et probablement puceau.

D'aucuns me diront que la maladresse n'a rien à voir avec la laideur ou la virginité. Ce n'est pas faux. Toutefois, quand on est beau comme un dieu et qu'on a baisé la moitié de son collège, une certaine attitude prend le dessus et des aptitudes insoupçonnées se manifestent. La confiance en soi est un puissant moteur, quelle qu'en soit l'origine.

Nous dansions dans une maison que je ne connaissais pas, au milieu de gens que je ne connaissais pas, et malgré l'absence de repères, je me trouvais dans une bulle réconfortante. De précieuses sensations, dont j'avais été privée depuis trop longtemps, me redevinrent rapidement familières. Le parfum et la chaleur d'un homme, mon cœur qui s'emballait d'une façon bien précise, un désir intense qui rendait dingue chacune de mes cellules… Je pétillais de l'intérieur pour être exacte, et… c'était drôle d'embrasser un homme à nouveau. La dernière fois que ma bouche avait dansé avec une autre, c'était avec celle de Bénédicte. Une expérience agréable, mais différente : Jean-Philippe ne miaulait pas, il se contentait de m'embrasser divinement, mon visage en prison dans ses grandes mains chaudes, sa langue en liberté dans ma jolie bouche ensoleillée.

Ce n'était certainement pas une petite vodka qui faisait bouillir mon sang de la sorte. J'avais chaud, extrêmement chaud, et envie de faire un truc que je n'avais pas fait depuis deux ans : *l'amour*. Non seulement je n'avais toujours pas imaginé Jean-Philippe en train de sauter ma sœur, mais en plus j'avais carrément envie de faire l'amour. Était-ce inespéré ? Normal après tout ? Dangereux ? Que faut-il faire dans ces cas-là, quand le bouclier qu'on s'est greffé sur le cœur baisse sa garde ? Quand l'esprit quitte le carrousel de petits chevaux sadiques ?

Il faut remercier. Sourire.

Et savourer.

Il faut être reconnaissant et exigeant.

Il faut demander au petit Jésus et au gros père Noël d'unir leurs efforts pour que la délivrance soit éternelle. Qu'elle ne soit pas le seul fait d'une danse effectivement propice à l'abandon et à la faiblesse, mais bien d'un miracle désormais impérissable. Et bien mérité.

Nous n'avions pas inscrit sur le mur la suite des événements ; les curieux du futur sauraient que 1) on se plaisait ; 2) j'avais été très belle ce soir-là ; 3) on avait dansé. Le reste nous appartenait. Le reste était surtout volcanique. De toute façon il ne restait plus assez de place pour écrire ceci.

Je suivis mon cœur et me laissai emmener au deuxième étage, gênée, car ceux qui nous voyaient monter savaient pertinemment que ce n'était pas dans l'intention de visionner un Tarantino dans la chambre d'amis. D'ailleurs, y avait-il une chambre d'amis à cet étage ? Je ne l'ai jamais su puisque nous nous retrouvâmes… dans une gigantesque penderie. « Ici on aura la paix », me dit-il en m'embrassant.

C'est ainsi que continua de germer en moi la petite graine plantée quelques instants plus tôt par Jean-Philippe, cette jolie fleur en devenir que le destin m'avait arrachée deux ans plus tôt et que l'on nomme libido. Elle était de retour pour de bon, enfin je crois, et je n'avais ni la nausée ni l'envie de fuir. Ses racines commençaient d'ailleurs à me chatouiller sous ma robe, au niveau du ventre…

— Je peux… ? me demanda-t-il.

— Quoi… ?

— Te caresser le ventre ?

— … Oui.

Je dirais plutôt qu'il s'appropriait mon ventre et mon dos de toute la largeur et la chaleur de ses mains plus qu'il ne les caressait, mais ce n'était point du tout déplaisant, et je le laissai d'ailleurs continuer. C'est un sentiment particulier de se faire toucher par un homme après deux ans d'abstinence totale. Je ne dirais pas que je me sentais vierge ou empotée, mais presque.

— Il pue des pieds ton copain…

— Affirmatif… Mais si on va ailleurs, on va se faire déranger… répondit-il sans cesser d'embrasser mon cou.

— Et puis… est-ce qu'il a vraiment besoin de tant de paires de chaussures ?

— 'Sais pas… Tu lui demanderas…

— Et pourquoi il porte un kilt au fait ? Il est écossais ?

— Négatif. Il est fou.

Je me sentis nulle et indigne de son attention. De toute cette tendresse.

— Excuse-moi… Ça fait deux ans qu'un homme ne m'a pas touchée alors… je suis un peu nerveuse…

— Je sais pas ce qu'on t'a fait, mais tu dois réapprendre à faire confiance… dit-il à ma jugulaire.

Ma jugulaire et moi ne répondîmes rien… Ce n'était ni l'endroit ni le moment de parler d'eux… Je fermai les yeux, et arrivèrent les larmes sous mes paupières. Une en sortit de chaque côté, puis elles s'étalèrent de tout leur long sur mes joues. Au même instant, quelqu'un entra dans la chambre.

— Chuuut, me dit-il à l'oreille.

Par réflexe je redescendis immédiatement ma robe et en remontai les bretelles, mais non, ça ne faisait manifestement pas son affaire. L'obscurité du placard, la porte du placard, et le fait que nous soyons dans un placard jouant finalement en notre faveur, je le laissai déshabiller mes épaules à nouveau.

Des gens venaient chercher leur manteau sur le lit de Peter-Ludovic et Jean-Philippe commença à me caresser le bas du ventre du bout des doigts, silencieusement, en distribuant ses baisers de plus en plus bas sur ma poitrine. Ainsi sa bouche découvrit mes seins avant ses yeux, ainsi sa langue apprécia leur douceur avant ses mains, ainsi une fièvre intense m'envahit, partant du plus profond de mes tripes jusqu'au plus extrême dénouement de mes mamelons, une fièvre qui me sortait par tous les pores comme si la température avait soudainement grimpé de dix degrés dans ce cagibi tout noir. Ainsi je commençai un nouveau chapitre de ma vie.

Son visage collé au mien, pendant que les invités discutaient joyeusement juste à côté de nous, Jean-Philippe souleva délicatement l'élastique de ma culotte, y glissa avec la même délicatesse ses doigts, pour en occuper tout l'espace. Et ses doigts semblèrent apprécier ma toison, si je me fie à la façon dont ils s'attardèrent dans ce petit carré aussi doux que touffu, cette petite antichambre qu'il s'amusait à faire semblant de quitter pour enfin me caresser le sexe, en n'entrant que le bout de son majeur dans le haut de ma fente.

Quand enfin il atteignit l'entrée de mon sexe, quand enfin ses doigts caressèrent de bas en haut l'intérieur de mes lèvres gonflées, j'étais tellement excitée que je pouvais y sentir mon cœur cogner. Oui, je sentais mon pouls dans ma chatte.

Nos visages se faisaient l'amour sans les lèvres, son haleine, masculine et essoufflée, se heurtait à mon propre souffle aussitôt sortie de lui, et je lui attrapai la bouche avec la mienne pour en saisir toute l'essence, pour en aspirer chaque atome. Pour que tout ce qui sortait de lui entre immédiatement en moi, sans escale ni détour.

Un téléphone sonna dans la chambre, la discussion prit fin, et un homme répondit. Sans la musique qui jouait à fond au rez-de-chaussée, on nous aurait probablement débusqués ; l'excitation sexuelle a beau économiser les mots, elle arrête le temps et accélère les respirations. On est bruyant, qu'on le veuille ou non. Je sortis sa main de ma culotte, nerveuse ; « Suce-moi, je bande comme un fou… » dit-il à mon oreille.

Les invités étaient toujours dans la chambre, auraient d'ailleurs pu planifier un meurtre, s'exercer au lance-pierres, ou faire une bataille d'oreillers ; nous ne l'aurions jamais su. Nous ne tenions compte du reste de l'univers que dans une seule optique, celle de ne pas être repérés. Celle de ne pas être interrompus, plutôt.

Je caressais son sexe bien dur à travers son jean, il pointait vers l'ouest, vers la chambre et les invités, mais c'est moi qu'il voulait. Il attendait que je le libère de l'emprise du denim, il attendait de me pilonner le fond de la gorge comme un bourrin, et je sortis la ceinture de sa boucle. Et je sortis le bouton de son trou. Et je fis descendre la fermeture Éclair. Avec l'application d'une ado, je me mis à le caresser de bas en haut à travers le tissu du caleçon. Vrai il avait dit : comme un fou il bandait. Il bandait comme François avait bandé ce soir-là.

Nous nous embrassions passionnément et je saisis son sexe fermement, à même la peau cette fois ; il me saisit les cheveux de plus belle, j'eus un peu mal et n'en fus nullement contrariée.

Je réussis à lâcher sa bouche pour son sexe, que j'engloutis avec aisance malgré sa largeur. Je me mis à le pomper comme on pompe un sexe de bonne dimension : en me déboîtant la mâchoire sans sourciller.

Les gens sortirent de la chambre et il m'assit sur probablement un dessus de commode. Je tirai ma culotte vers la gauche tandis que mon autre main était pratique pour ne point choir sur la moquette. Il y allait fort tout en m'embrassant, il y avait longtemps que je n'avais pas été secouée de la sorte, dans tous les sens du terme. Chaque coup de queue était accompagné d'un gémissement commun, il savait alors que son organe bandé me faisait du bien, je savais alors que mon organe mouillé lui convenait plutôt bien ; involontairement nous nous rassurions l'un l'autre. J'aimais et j'avais besoin d'être pénétrée, ne serait-ce que pour me retrouver moi-même, que pour reprendre conscience de cette partie de mon corps où jamais plus je ne m'étais aventurée depuis deux ans. Sentir mon vagin tout entier faire une pression sur son sexe me redonnait confiance en moi, en tant que femme. Tout n'était pas perdu. Tout n'était pas fini. Tout pouvait recommencer à exister et à vibrer.

9

La nuit qui suivit, contre toute logique, je fis un rêve bien peu glamour, dont le scénario aussi absurde qu'insupportable me permit fort heureusement d'en sortir rapidement, sans trop de séquelles psychologiques. Je rêvais en effet que l'on s'acharnait sur ma chair et mes os à grands coups de tuyau d'aspirateur, et que je ne servais à rien. Oui : j'ai rêvé que j'étais un sommier. Sans pattes.

J'y ai repensé sur le chemin du resto et j'ai réalisé qu'un sommier c'est comme des talons. Ça sert à être plus haut et à faire plus joli. Mais c'est tout.

Triste vie que celle de sommier.

Bénédicte et moi avions rendez-vous dans un nouveau restaurant, à quelques rues de chez moi. Sans décrire la scène du placard seconde par seconde, je lui parlai du placard. Je lui parlai du grand mur. Je lui parlai de Pilou, et d'Audrey. Je lui parlai de Jean-Philippe, et de moi. Elle m'écoutait religieusement. Elle trouvait l'idée du mur cool, elle trouvait Audrey louche, elle trouvait que j'avais l'air rayonnante et que j'avais bien de la chance. Je la remerciai. Elle ne comprenait pas pourquoi j'étais sur le point de pleurer tout en étant heureuse. Nos plats arrivèrent et j'ouvris ma première moule.

— Tu ne manges pas ? demandai-je.

— Non… J'ai pas faim, finalement…

— Qu'est-ce qui se passe ?

— Qu'est-ce qui se passe… ?! Ben… à ton avis ?!

— Euhhh… je ne sais pas ? Dis-moi ?

— Ben je me suis grave fait prendre pour une nouille, voilà ce qui se passe.

— Ah… Tu parles de Christian…

— Ben oui, de qui d'autre ?!

— Tu n'as pas encore digéré ?…

— Pas du tout… ! On n'oublie pas ça comme ça, en un claquement de doigts… !

— Euh… Oui, je comprends ton amertume, mais d'un autre côté, vous n'avez jamais été vraiment en couple non plus… Ça va aller.

— Pfff…

— Dis donc, ça a vraiment l'air de t'avoir affectée… Tourne la page, Béné. Ce n'est pas si grave… Et ça fait plus d'un mois tout ça. Bientôt tu en riras.

— Je rêve… Tu me mets de la pression, tu me jettes dans ses bras, et maintenant tu minimises tout…

— Pardon !?!

— Si t'avais pas insisté je n'aurais jamais fait le premier pas et je ne me serais pas fait prendre pour une conne comme ça. Voilà. C'est dit. T'aurais juste pas dû te mêler de ma vie.

— Tu déconnes ou quoi ?! Tu déconnes j'espère !?

— Est-ce que j'ai l'air de déconner… ?

— Tu es vraiment en train de me mettre *ton petit problème de merde* sur le dos, là ? On ne peut même pas appeler ça un problème de couple, ou de cœur. Non, non, *ton petit problème de merde*. Est-ce que c'est si grave, tout ça ?!

— Eh ben… Je te remercie pour ta compassion… ! Je vois que je peux vraiment compter sur toi.

— Ma *compassion* !?! Bénédicte ! Tu ne trouves pas que t'exagères un peu, là ?!

— Non, je ne trouve pas.

— Dis donc, tu as quel âge dans ta tête ?! Tu te rends compte de ce que tu dis ?! T'es débile ou quoi !?

Elle rit jaune, sans daigner répondre à mes questions.

— Tu as manqué de souffrance à ce point dans ta vie ?! La moindre petite mésaventure te rend amère, et détestable, et odieuse ?!

— Tout de suite les grands mots… !

— Tout de suite les grands mots ?! Mais tu es absolument incroyable… !

Je la dévisageai avec stupéfaction pendant quelques secondes, puis ajoutai :

— Tu as besoin de souffrir un peu, ma fille. Ou de vivre, tout simplement. Va te faire foutre tu sais quoi.

Comme je n'avais pas envie que l'on m'ouvre un casier judiciaire à cause d'un plat de crustacés, je pris la peine de régler ma facture avant de quitter le restaurant, même si je n'avais mangé que deux moules et une pincée de frites. Puis je partis, sidérée par ce que je venais de vivre.

Sur le chemin du retour, j'avais envie et besoin de raconter ma mésaventure à chaque passant. Lui dire qu'une amitié vieille de plus de vingt ans peut se transformer en tas de cendres en moins de dix minutes. Lui dire d'être bien vigilant, d'apprendre à déceler ceux qui l'aiment par amour, par amitié, et ceux qui l'aiment parce qu'ils se reconnaissent en lui. Y voient les mêmes problèmes, les mêmes échecs, la même merde. Ceux-là sont pires que des ennemis. Ils vous sucent votre temps, votre énergie, vous laissent vous attacher à eux, et quand un truc bien vous arrive, ils ne le supportent pas. Ils ne le supportent pas car vous n'êtes plus leur miroir.

J'attendais mon tour pour traverser la rue quand je décidai de retourner au restaurant.

Je me mis à marcher vite, puis à courir, craignant que Bénédicte ne soit déjà partie. En ouvrant la porte, ouf, elle était encore là, en train de boutonner son manteau.

Je me plantai devant elle époumonée et heureuse, et lui dis, avec les joues rouges et ma sincérité des grands jours :

— Bénédicte. Merci ! Merci infiniment !…

— Qu'est-ce que tu veux dire… ?

— Merci pour ta réaction. Tu ne pouvais pas mieux me rendre service ! Notre amitié des dernières années, finalement, c'était du vent. Tu me pesais sans que je réussisse à l'identifier clairement.

— Ah ben dis donc… De mieux en mieux…

— Oui, oui, absolument ! Tu me fais chier depuis des années en fait, expliquai-je avec clairvoyance, avec le visage de celle qui vient d'élucider une énigme vieille de vingt-trois ans. Je viens de réaliser à quel point notre amitié me pesait, à quel point tu m'emmerdais, tout simplement. C'est dingue ! Tout est clair maintenant.

Je pris une moule dans mon plat encore tiède et la détachai de sa coquille avec bonheur. Puis je ramassai un trio de frites que je plongeai dans son ketchup puis dans ma bouche. Elle me fixait avec des yeux aussi larges que les lavabos de son salon de coiffure, tandis que le couple à la table d'à côté nous observait discrètement.

— *My god !* Mais t'es complètement folle hein !

— Ahhhhh ! *Grave* ouais ! Je suis grave folle ! dis-je en prenant une grande respiration libératrice. Mais *bon sang que je me sens bien* !

Je repris une moule, puis des frites en vitesse, avant de conclure la discussion et notre amitié.

— Bon, eh bien… Bénédicte Maréchal : ce fut un plaisir !

Puis je partis. Gaie. Légère. Sereine. Il faisait soleil et relativement doux : je décidai d'enlever mon bonnet.

10

En rentrant chez moi, je tombai sur un mot de ma voisine scotché sur ma porte. Il fallait que j'aille la voir dès mon retour. Lorsqu'elle m'ouvrit, je compris que quelque chose n'allait pas…

— Qu'y a-t-il, Nicole ?

— C'est ton chat, Catherine…

— Qu'est-ce qui s'est passé ?

— Je suis désolée… Il… Il a été heurté par un camion…

— Non… ?

— Je suis désolée…

— Il… Est-ce qu'il est mort… ?

— Il n'a pas souffert… Le choc… a été trop violent…

Je collai ma main sur ma bouche, par réflexe… Je pris une grande respiration involontaire et les larmes commencèrent à inonder mes yeux écarquillés, qui cherchaient du réconfort dans ceux de Nicole. Pas de réconfort. Et plus de Luc. J'ai voulu le voir tout de suite. Vite. Peut-être n'était-il pas mort. Peut-être y avait-il quelque chose à faire. À réparer. À désinfecter. À panser.

— Non… Où il est ?… Où il est ?!

— Je l'ai mis dans la ruelle, enveloppé dans une serviette.

— Quoi… ? Enveloppé dans une serviette… ? Mais il faut lui laisser la tête dégagée… Il va peut-être recommencer à respirer…

— Je ne crois pas, ma chère Catherine. Le choc a été très violent… Luc… Luc n'a plus le même aspect…

Ces mots m'arrachèrent le cœur. Ses explications m'étaient tout bonnement insupportables. J'avais du mal à respirer. Je la suivis dans la ruelle qui longeait notre immeuble. Je me mis à genoux puis soulevai doucement la serviette. L'horreur s'empara de moi. Mon minou d'amour avait eu les deux tiers du corps écrasés. Sa tête, elle, n'avait pas été touchée… Je la caressai d'une main délicate et tremblante… J'avais peur de lui faire mal.

— Où est le connard qui lui a roulé dessus !? dis-je en braillant.

— Il ne s'est pas arrêté… D'après les passants c'était un petit camion… Tout blanc…

Je passai de longues minutes à pleurer à côté de lui, après avoir remis la serviette sur son petit corps pas encore refroidi. Je voulais que sa chaleur ne le quitte pas… Je voulais qu'il ne me quitte pas. Nicole me demanda si je voulais être seule ou qu'elle reste avec moi. Je voulais être seule. Pleurer mon compagnon des cinq dernières années en paix, cet animal qui m'avait apporté tant de réconfort et d'amour. Plus rien n'avait la moindre importance. Plus rien. J'aurais tout donné pour revenir en arrière et n'avoir pas cédé à ses miaulements lorsqu'il avait voulu sortir en même temps que je partais pour le restaurant.

Je le pris dans mes bras tremblants, pour le ramener à l'intérieur.

Je ne pouvais pas l'enterrer comme ça…

Il lui fallait une couverture…

Et un lit…

Je choisis une taie d'oreiller beige, et un feutre bleu. Je me mis à dessiner.

Des lunes… Et des étoiles…

Je le mis à l'intérieur, en prenant soin de laisser sa tête découverte. Connement, la vue des dessins soulagea vaguement ma peine.

Je choisis ma boîte à chaussures la plus grande. Et mon parc préféré. Le grand saule pleureur veillerait sur lui… Le protégerait des intempéries…

Alors que j'étais sur le point de partir, je réalisai que nous étions en plein hiver, et que le sol, gelé, était recouvert d'un bon mètre de neige. Il était impossible d'enterrer Luc.

Je n'avais pas d'autre solution que de le faire incinérer.

La dame me demanda si je voulais qu'on vienne chercher mon animal, si je voulais assister à l'incinération, si je voulais conserver ses cendres dans une urne, ou qu'elles soient répandues dans leur jardin prévu à cet effet… Je fondis en larmes et lui dis que je n'en savais rien du tout. Que j'allais la rappeler, et que j'avais beaucoup de peine. Elle me dit qu'elle comprenait, et qu'ils proposaient aussi un service de soutien psychologique en deuil animalier. Ajouta que si je ne tardais pas trop à la rappeler, Luc pourrait être récupéré aujourd'hui.

L'homme qui se présenta chez moi portait une veste bleu foncé avec son prénom cousu au fil doré, en haut à gauche. Il s'appelait Manish, était d'origine indienne, et né il y a une soixantaine d'années probablement. Il me salua et me dit tout de suite qu'il était désolé pour mon chat. Il me promit qu'il serait traité avec respect. Je me remis à pleurer et lui offris un thé. Il aurait bien voulu, mais il ne pouvait pas pendant ses heures de travail.

Je lui montrai Luc. Il me dit que ça avait dû être violent, et qu'il n'avait pas souffert du tout. Je me suis permis de lui demander comment il faisait pour exercer ce métier ; « Il faut bien gagner sa vie, madame... Je préfère aider des gens qui ont de la peine que de travailler à l'usine. La mort, ça me choque pas... Il y a autre chose après. »

Il m'informa qu'on allait m'appeler pour fixer la journée et l'heure de l'incinération, et que le jardin où on dispersait les cendres était très beau et calme. Que j'allais beaucoup aimer. Il fallait maintenant qu'il mette Luc dans un sac scellé. Je ne voulais pas assister à cela ni ressasser la scène pendant des mois, alors je lui dis de faire son travail, que j'allais me retirer sur mon balcon, et qu'il n'aurait qu'à fermer la porte en sortant.

Avant de fuir lâchement, je voulus lui dire adieu. Je déposai un long baiser sur son front tout doux, là où ses poils blancs formaient un petit triangle parfait au milieu de sa jolie tête caramel et tellement intacte qu'on aurait dit qu'il dormait. « Bonne chance, mon bébé... Tu as été un super minou... Je ne t'oublierai jamais... »

Un jour on achète dix kilos de litière et une nouvelle sorte de croquettes à la dinde, car les autres il n'en avait pas raffolé, et le lendemain il quitte la maison dans un sac en plastique. On ne pouvait pas prévoir, et on ne peut pas revenir en arrière. Oui il y a encore ses crottes de la veille à ramasser et plusieurs semaines seront nécessaires avant que tous ses poils aient entièrement quitté la maison, oui c'est insupportable, mais il faut vivre avec. C'est dans ces moments-là que l'expression « c'est la vie » prend tout son sens. La vie ce n'est pas qu'une succession de jours qui se ressemblent et que l'on contrôle. La vie c'est aussi des surprises, des déceptions, des problèmes, et des départs tragiques. *C'est la vie...*

11

Le lendemain, en écrivant au tableau, j'eus un flash. Après les cours je me rendis aussitôt chez Peter-Ludovic. Je cognai et il m'ouvrit.

— Tiens ! L'amie de JP ?! Qu'est-ce qui me vaut cette visite ? me demanda-t-il avec un grand sourire.

Cette fois il ne portait pas de kilt mais une robe de chambre brune qui laissait entrevoir son torse bombé et imberbe.

— Salut ! Excuse-moi de te déranger, je n'arrive pas à joindre Jean-Philippe et je crois que j'ai perdu mon bracelet sur ton canapé…

— Ah !? Ben viens, entre ! On va regarder ça ! T'as aimé la soirée ? ajouta-t-il gaiement, en fermant la porte.

— Oui, oui, génial ! Merci encore.

Je regardai le mur sur lequel nous nous étions séduits samedi soir : je ne me trompais pas. Ce n'était pas son écriture.

— Ça va ? m'interrogea-t-il.

— Euh… oui oui. J'espère que je vais le retrouver ! Bon, il est peut-être entre deux coussins…

213

Je fis semblant de fouiller avec lui sur le plus gros des canapés tout en essayant de comprendre… Qui avait écrit son nom et son numéro sur ce bout de feuille ? Il avait dit vrai, finalement… Il n'avait pas écrit ce papier… Je repartis de chez Pilou sans bracelet et sans explications. En rentrant je téléphonai à Jean-Philippe.

— Allô jolie Russe !

— Salut. Ton écriture, sur le mur du salon : ce n'est pas la même que sur le papier… As-tu une explication ?

— Ooooowww !! Bonjour, Catherine, ça va bien ? Moi oui, merci !

— Je n'ai pas envie de m'amuser.

— Je m'amuse pas, je suis *poli* !

— C'est bien toi Jean-Philippe ?

— Ben évidemment que c'est moi Jean-Philippe ! Tu délires ou quoi ?!

— Pourquoi ce n'est pas ton écriture, alors ?

— Hey ! Hey ! Calme-toi un peu, là ! C'est pas mon écriture parce que c'est pas moi qui ai écrit ce maudit papier ! Je t'ai dit que je ne savais même pas d'où il venait, ton papier !

— Toi aussi tu vas me prendre pour une conne, c'est ça ?!

— Mais c'est quoi ton problème ?! Comment ça moi aussi ?! Je peux pas être plus honnête envers toi ! Honnêtement, tu deviens vraiment lourde avec tout ça. Je commence même à me demander si t'es pas une grosse folle qui a tout inventé. Ça serait plutôt à moi de te poser des questions ! Comment t'as eu mon numéro et d'où tu sors ?! Et qu'est-ce que tu me veux ?!

— Pff ! Je rêve… Tu crois que j'ai inventé tout ça !? Tu crois sincèrement que je n'ai que ça à foutre !?

— Affirmatif ! Ça n'a aucun sens, ton histoire ! Si quelqu'un prend l'autre pour un con, c'est toi. Tu me racontes des conneries depuis le début.

— OK, écoute… Ça devient vraiment n'importe quoi… Je vais te laisser. Bon vent, Jean-Philippe…

— Ouais, excellente idée, ça. Raccroche et oublie-moi. Je n'avais vraiment pas besoin d'une fille tordue comme toi dans ma vie…

12

L'église était pleine à craquer. Je n'étais pas en avance, mais pus tout de même avoir une place assise au bout d'un banc, à côté d'un gros pilier en marbre.

Deux chevalets avaient été disposés à l'entrée. Sur l'un, une photo d'Ulrich agrandie, sur l'autre, un montage retraçant les différentes étapes de sa vie. C'était un bel hommage, qui permettait de le découvrir un peu plus. L'amour entre lui et Marie-Louise avait engendré deux beaux enfants et quatorze ans de vie commune. Sur la photo de leurs premières vacances, Marie-Louise est blonde et Ulrich porte les cheveux longs, attachés. Ils s'apprêtent à partir en canot sur un immense lac, peut-être en Suisse, et le soleil a le ciel pour lui tout seul. Marie-Louise porte une casquette et des espadrilles blanches, et son gilet de sauvetage est attaché. Ulrich n'a ni casquette, ni gilet de sauvetage, ni tee-shirt, ni chaussures. Dans le canot il y a une grosse glacière rouge et un grand sac en toile de la même couleur, probablement allaient-ils pique-niquer quelque part, sur une petite île tranquille… Ils sont jeunes et heureux. Ils portent déjà une alliance.

Parmi la foule, je reconnus beaucoup de visages – des professeurs, des parents, des élèves, aussi.

Quelques minutes après mon arrivée, la dépouille d'Ulrich, suivie de la famille, entra à l'intérieur de l'église. Marie-Louise et les enfants étaient les premiers à escorter le cercueil, suivis de quelques autres personnes, puis d'Étienne. Il suivait le cortège en jouant de l'harmonica. Il jouait *La Chanson de Prévert*. C'était profondément émouvant…

Le prêtre dégageait une sérénité déroutante, une sorte de manteau pour le cœur, et ce n'est pas parce qu'il était coutumier des obsèques. Au fond de lui, on le sentait bien, il savait. Il savait, sans ressentir le moindre doute, qu'Ulrich reposerait en paix pour l'éternité. Qu'il était parti ailleurs. Il n'était ni « au ciel » ni dans un cercueil. Il était avec Lui. Et que l'on soit croyant ou non, sa foi était bienfaisante. Soulageait un peu la souffrance. Rassurait. Rassurait sur le coup. Rassurait pour la suite. Pour quand ce serait notre tour.

Les hommages furent nombreux, et celui de Marie-Louise, bouleversant.

Mon Ulrich bien-aimé…

Tu as pris cette… terrible décision… Nous quitter…

Je ne le supporte pas… Je ne l'accepte pas… Mais à quoi bon résister… Il est trop tard… Je suis face à ce grand vide insupportable sans avoir mon mot à dire. Tu me mets devant le fait accompli, comme je te l'ai fait il y a quelques mois…

Pour ceux qui ne le savent pas, nous étions séparés depuis peu… Pourtant… c'est toi, que j'avais envie d'appeler quand ça n'allait pas… C'est toi, que j'avais envie de voir à mon réveil… Et ton absence… Ton

absence ne m'a finalement pas rendue plus heureuse...
Au contraire...

Tu as écrit dans ta lettre d'adieu que tu avais tout perdu... Moi... Les enfants... Ton travail... Mais tu t'es trompé. Tu ne m'as jamais perdue... Jamais.

Le tourbillon de la vie nous a emportés très haut puis relâchés violemment, chacun de notre côté... Hélas, nous n'avons pas su trouver les ressources pour y faire face. Tu n'as jamais perdu Fiona et Jonas non plus, entends-moi bien depuis là-haut. Tu es leur père, ils t'ont toujours profondément aimé, et t'aimeront toute leur vie. Personne ne te remplacera jamais dans leur cœur, ni dans le mien... Tu disais toujours que personne n'est irremplaçable... C'est faux... Si faux...

Le travail, les soucis, la routine... tout ça a tué notre couple... Mais pas notre amour... Le couple et l'amour sont deux choses distinctes, qui peuvent exister l'une sans l'autre... Je continue à croire que nous nous aimions encore et que nous nous aimerons toujours...

Je n'ai jamais pu enlever la photo de mon bureau, celle où nous sommes devant le chalet, même si je dormais dans le lit d'un autre homme. Je n'ai jamais pu te sortir de moi.

Si seulement... Si seulement tu m'avais attendue... encore un peu... mon chéri...

Je voulais revenir. Oui... Je voulais qu'on se donne une deuxième chance. Mais je ne t'ai envoyé aucun signal...

Cette erreur a été fatale...

Pardonne-moi... Ulrich...

Dans ton travail, tu as toujours été consciencieux... Et entier... Je crois que c'est la raison de ton renvoi, et je crois que c'est ce qui t'a poussé à commettre l'impensable. Ce renvoi a été la goutte d'eau... Tu es juste... Et bon... Et cela est un défaut pour certains...

Aujourd'hui, mon chéri, ta famille, tes amis, d'ici et d'Allemagne, les professeurs, les élèves et leurs parents se sont déplacés en grand nombre pour te rendre hommage... J'espère que tu ressens cette tendresse, de là où tu es...

Pardonne-moi de ne pas avoir senti ton désespoir... Je m'excuse, mon amour... Je n'ai pas été là pour toi. Je ne t'ai pas sauvé...

Je regrette tant d'avoir tu mon désir, immuable depuis le lendemain où j'ai quitté la maison, de revenir vers toi un jour...

Protège-nous de là-haut...
Et attends-moi...
Ich liebe dich...
Jusqu'à ce que la mort nous sépare, et au-delà...

Deux Allemands s'installèrent ensuite non loin de l'autel. Ils dirent quelques mots que la mère d'Ulrich traduisit dans un français impeccable, depuis son fauteuil roulant. « Ulrich, notre ami, notre frère, voici pour toi notre toute première chanson, celle que tu avais composée en trois heures et qui eut tant de succès auprès des filles du quartier. Que la musique continue de t'habiter là où tu es aujourd'hui. Nous t'aimons. » Ils n'avaient plus vingt ans, ni trente, mais le gris de leurs cheveux n'avait pas encore complètement effacé le blond. Nous écoutâmes Les Trois Blonds jouer un morceau de rock aux allures nostalgiques et aux paroles inaccessibles, mais qui me retourna l'estomac.

À la fin de la cérémonie, seuls les proches assistèrent à la mise en terre. Les autres se dirigèrent vers la salle de réception. C'est ainsi, les funérailles. C'est ainsi, la vie. Il faut toujours bouffer. Toujours se goinfrer quelles que soient les circonstances. J'eus le temps d'intercepter Charles qui s'éloignait, seul.

— Comme ça vous aviez congédié ce pauvre Ulrich… Et peut-on savoir pourquoi… ?

— Pour qui vous prenez-vous… ?

— Vous saviez qu'elle l'aimait encore et vous avez voulu le pousser à bout… Pour qu'elle reste avec vous…

— Mais enfin, d'où sortez-vous ça… ? dit-il en s'arrêtant.

— Je suis au courant, Charles… Pour vous et Marie-Louise.

Il reprit sa marche, mains dans les poches et tête baissée, pour éviter les flocons qui tombaient doucement. Et probablement mon regard…

— Vous n'avez rien à répondre ?

— Laissez-moi tranquille…

— Je vous souhaite bonne chance avec votre conscience… dis-je en le laissant s'éloigner.

Il n'allait pas à la salle de réception, évidemment… Et je décidai de ne pas me mêler à cette atmosphère non plus.

Étienne m'interpella alors que j'arrivais au stationnement.

— Ton morceau à l'harmonica était superbe, lui dis-je alors qu'il venait tout juste de me rattraper.

— Merci… Marie-Louise m'a dit qu'il adorait Gainsbourg, alors…

— Pas facile tout ça…

— Non… Ulrich était un bon gars… C'est déchirant… Et ce renvoi inexpliqué… Je pense aussi que c'est ce qui a engendré son geste… Personne n'était au courant, apparemment…

— Oui… dis-je en regardant la foule se dissiper au loin.

Nous restâmes silencieux quelques secondes.

— C'est toi qui jouais *Nothing Else Matters* à l'école, l'autre jour ?

— Oui… Tu m'as entendu… ?

— Oui… Mais je ne savais pas d'où ça venait…

Il sourit tristement.

— J'étais sur le toit… Il y a un petit coin abrité, peu de gens le connaissent. Je suis toujours seul quand j'y vais.

— Ton morceau m'a fait du bien… Il m'a rappelé mon grand-père paternel. Il jouait tout le temps de l'harmonica… Et cette chanson-là aussi, justement. Il aimait Metallica. Surprenant pour un grand-père, n'est-ce pas ?

— Oui… Surprenant… Ça devait être un grand-père incroyable.

— En effet…

Nous nous souhaitâmes une bonne fin de journée, il partit de son côté, et je me mis à déneiger ma voiture tranquillement, avec application, comme si l'avenir de l'humanité en dépendait.

13

Il n'aimait pas les journées venteuses car je m'attachais les cheveux, ni les jours pluvieux car il était déprimé.

Il n'aimait pas que je coure si fréquemment car il craignait que je ne dénature mon corps, et il l'aimait ainsi. Il aimait que mes cuisses fassent des vagues quand il me prenait par-derrière, il aimait pouvoir pétrir mes flancs comme de la pâte à pain, s'y agripper fermement quand il n'était pas d'humeur à me tenir par les cheveux. Il aimait que ce soit un peu flasque. Que ce soit un peu enrobé. Pour lui, j'avais d'ailleurs abandonné l'idée de développer mes muscles abdominaux ; embrasser un ventre aussi dur et tendu qu'une peau de tambour le rebutait.

Assez rapidement, j'ai compris que le désir de terminer un chapitre ne devait pas l'emporter sur la baise. J'avais sinon droit à la fin du roman dans ses moindres détails dès le lendemain. Et même si je planquais le bouquin, il se débrouillait pour trouver le dénouement quelque part. Ce n'était pas un sacrifice malheureux pour autant, car il savait s'y prendre comme nul autre avec moi. Il avait compris que mon corps abhorrait littéralement la brusquerie pour ensuite ne réclamer qu'elle, il avait compris que pour l'échauffer, il devait être d'une douceur infinie, m'offrir des caresses plus douces qu'un drap qui abandonne une épaule, m'offrir des baisers plus tendres que l'effleurement des pétales de rose entre eux, lorsque la fleur éclot, mais qu'une fois lui en moi, qu'une fois mon corps sur sa lancée, il pouvait laisser libre cours au survoltage qui l'animait alors.

Il savait comment et où me lécher, il savait que de promener doucement le bout de sa langue souple et agile dans mes aisselles me faisait presque jouir. Il n'avait plus qu'à utiliser ses doigts et le tour était joué. Il aimait me prendre, mais il aimait follement me faire jouir avec ses doigts, car tout de suite après il pouvait se vider dans ma bouche sans culpabiliser. Je n'ai jamais aimé le goût du sperme, mais je me forçais avec lui, car il était accro à la fellation et ma crainte de ne pas le satisfaire demeurait plus forte que tout. Un jour je lui avais demandé pourquoi il était si attaché à me faire manger son foutre, et il m'avait répondu, sans réfléchir, hésiter ou rougir, que de « voir ma langue tendue vers son gland et mes petits yeux soucieux d'esquiver le jet lui donnait le sentiment précis et précieux d'être le roi de la jungle ».

Une fois, il a débarqué à l'école sans prévenir. Le matin de son départ pour une petite tournée de dix jours. Je donnais un cours et Ulrich a cogné à la porte. J'ai ouvert. Je les ai eus tous les deux en face de moi et Ulrich m'a signifié que c'était exceptionnel, qu'il ne tolérerait pas cela une deuxième fois. François l'avait alors interrompu en disant, avec un air contrit que je savais faux : « Merci encore, Ulrich. Comme je vous l'ai expliqué, c'est urgent et important, et Catherine éteint toujours son téléphone en cours. » Ulrich était reparti sans rien dire, il sentait qu'il se faisait prendre pour un imbécile.

Les élèves commençaient à chahuter dans la classe, ils voyaient François dans le couloir et ricanaient en se chuchotant des hypothèses, des scénarios d'adolescents.

« Qu'est-ce qui se passe, bon sang ? Pourquoi tu débarques ici ? » avais-je dit à voix basse et mécontente. Il m'avait répondu qu'il était affreusement inquiet, car en se réveillant, il n'avait pas eu d'érection. Je lui avais dit qu'il était fou de me déranger pour ça et qu'il devait partir immédiatement. Il m'avait expliqué qu'il ne pouvait pas s'en aller comme ça pour dix jours, qu'il voulait s'assurer qu'il était encore capable de bander et de baiser.

— Que veux-tu que je fasse !? avais-je demandé.

— Il faut que nous fassions l'amour avant que je parte.

— Tu es fou.

— Non, mais inquiet, oui !

— Je travaille, enfin !

— Je vais t'attendre. À ta pause, nous aurons le temps. Je te rejoindrai aux toilettes des professeurs.

J'avais terminé mon cours déconcentrée, frustrée et embarrassée. Puis nous nous étions rejoints dans des toilettes réservées au personnel, les plus éloignées possible, au dernier étage. Je voulais qu'il s'en aille au plus vite, je voulais en finir, il était allé trop loin.

Le cabinet de toilette se trouvait dans la partie ancienne de l'édifice ; il était lumineux et inutilement spacieux. Il y avait une grande fenêtre à gauche de la cuvette, ainsi qu'un lavabo et une affiche cornée, avec des dessins qui expliquaient comment bien se laver les mains. C'était l'époque où je portais des talons pour travailler, car je n'avais pas encore chuté dans l'escalier, sous les yeux d'une cinquantaine d'élèves. Cette journée-là le printemps accomplissait ses premières foulées et une jupe midi noire remontait au-dessus de mon nombril, par-dessus une chemise bleu clair très confortable. Il n'avait eu qu'à remonter la jupe et la coincer dans ma ceinture, avant de me pencher en avant, m'offrant ainsi son sexe et une vue imprenable sur le robinet. Il fallait que je garde ma culotte, car il voulait ensuite l'emporter avec lui. J'avais accepté de la lui laisser car je portais des collants. Il bandait très bien, il n'a eu aucun problème.

Dans le stationnement je lui avais dit qu'il s'était un peu payé ma tête, et que je ne voulais plus que ça se reproduise. Que je ne rigolais pas avec le boulot. Il m'avait répondu que de sauter une maîtresse d'école avait toujours été un fantasme. « Je suis enseignante à la maison aussi ! » « Oui, mais je suis un visuel. » Puis il m'avait prise dans ses bras en me disant qu'il m'aimait et que l'on se revoyait la semaine prochaine. Je mentirais en disant que j'avais totalement regretté sa visite.

Oui, il était obsédé par le sexe, et j'aurais dû me douter que tôt ou tard il allait me faire saigner. Que tôt ou tard j'aurais envie de crever.

14

Alors que je récupérais mes biens dans le frigo de la salle des professeurs, Étienne s'approcha de moi.

— Salut, Catherine.

— Salut, Étienne. Ça va... ?

— Oui, très bien, merci. Je voulais te proposer d'aller prendre un café, si tu es libre.

— Euhhh... Oui... ! Avec plaisir.

— Je suis arrivé à Montréal l'été dernier et je ne connais pas grand monde ici. J'ai toujours vécu à Québec. Sans vouloir me justifier, ça me ferait du bien d'avoir de la compagnie, dit-il, les mains dans les poches de son pantalon bleu foncé et moulant, avec un léger sourire.

Un sourire à la fois timide et confiant. C'est-à-dire le sourire qu'on a quand on sourit tout en rentrant ses lèvres vers l'intérieur. Un sourire horizontal et non en forme de banane. Bref, je crois que j'ai assez décrit sa bouche.

C'était trop soudain et attendrissant pour que je dise « non, je n'en ai pas tellement envie ; demande plutôt à Brigitte ». Nous allâmes dans un café proche de l'école.

Il prit une bière et moi... un thé. La salle était surchauffée et pleine à craquer ; par chance nous étions près de la porte et je bénéficiais de régulières bouffées d'air frais, que j'accompagnais systématiquement d'un « Ahhh ! De l'air ! », justement.

Étienne n'avait rien d'un boute-en-train et n'envisageait pas de remédier à la situation. « Il y a assez de gens toujours contents et d'imbéciles heureux, disait-il. J'aime la vie sans toutefois mordre dedans ou lui sourire. La vie est ce qu'elle est, et je dois faire avec ; nous la traversons chacun à notre façon, avec plus ou moins d'enthousiasme. » Dit comme ça, c'était cru et violent, mais finalement, n'est-ce pas là l'état d'esprit d'une bonne partie de l'humanité ?

Si l'on me donnait à remplir un questionnaire sur Étienne, si je devais cocher *flippant*, *réconfortant* ou *séduisant*, je ne saurais que choisir. Il est tout ça. Il m'effraie, il me fait du bien, et je le trouve beau garçon. Si j'étais sa sœur ou son amie d'enfance, je dessinerais le diagramme circulaire de sa personnalité avec exactitude et tendresse, mais comme nous n'en sommes qu'à notre deuxième vraie discussion, je me contenterai de dire, avec la tendresse d'une sœur et d'une amie d'enfance réunies, que la mélancolie y occupe une grande place. Ça tombe bien, j'aime les gens mélancoliques. Ils ne sont par définition ni niais ni mauvais : ils sont sensibles et attachants. Longue vie à l'*Homo melancolicus*, sans qui le monde serait bien froid et effrayant, sans qui l'art aurait autant de portée qu'un cri de bébé fourmi.

— Pourquoi tu as décidé d'enseigner l'histoire ?

— Je ne suis pas né dans la bonne époque, alors... je cherche probablement à vivre dans une autre. Il y a ceux qui se réfugient dans la musique, ou la drogue... Moi c'est le passé.

— Et... est-ce que c'est un exutoire qui fonctionne ?

— Oui. Et j'espère aider au moins un jeune par an à se sentir mieux. Lui apprendre que, Dieu merci, d'autres civilisations ont foulé la Terre avant nous.

Étienne me parla de notre époque et de ses tares, de la possession matérielle, de l'obsession de l'image..., et critiqua le tout vertement. « Nous sommes dans une société où l'on ne se préoccupe que de grossir des seins, des lèvres, du cul, des sourcils, des biceps... C'est affligeant. Et pourquoi pas grossir du cerveau, pour changer un peu ? L'humanité est en train d'écrire un chapitre de l'Histoire bien pitoyable... »

Le pillage et la destruction de la planète le mettaient hors de lui également, et j'étais d'accord avec tout ça, bien sûr, mais son discours et sa garde-robe étaient contradictoires, car jamais je n'ai vu un être humain posséder autant de paires de chaussures, de vestes et de foulards. Même chose, d'ailleurs, pour ce qui habille le reste de sa jolie personne. C'est bien d'être écolo et contre l'esprit de consommation, à condition de ne pas s'acheter un morceau de linge tous les trois jours. C'est peut-être pour ça qu'il se déplace à pied et vante les transports en commun. Il cherche peut-être à se déculpabiliser...

— Tu imagines que j'ai un élève de seize ans, Benjamin Maurice, qui vient d'avoir sa première voiture et qui est une... Corvette, poursuivit-il. Posséder une Corvette à seize ans. Grotesque, n'est-ce pas ? Les autres élèves l'ovationnent et l'idolâtrent pour ça. Pauvre jeunesse...

— Une Corvette ?! C'est dingue… Et quel prénom ! Les parents ne reculent devant rien pour être originaux, décidément. Cette manie des prénoms composés insolites, c'est quelque chose !

— Non, il s'appelle juste Benjamin. Maurice, c'est son nom de famille.

— Ah ! Évidemment !… Suis-je bête. J'ai moi aussi une Maurice dans ma classe. Coralie. Est-ce qu'ils sont frère et sœur ? Sûrement…

— Je ne sais pas… Dis-moi si la mère de ta Coralie est aussi fortunée qu'insupportable ?

En plus d'imprégner nos vêtements de la formidable odeur de la cannelle, le café-bistro que nous avions choisi recréait avec une justesse impressionnante le climat équatorial. Avec des peaux davantage coutumières du soleil autour de nous, du Portugais tous azimuts, et un joli perroquet sur son perchoir, nous étions brésiliens.

Si j'avais un perroquet je lui apprendrais à dire *Mont-Saint-Michel* et *Tu m'en vois bouleversé.*

Je lui apprendrais à dire *cumulonimbus* et à les identifier.

Si j'avais un perroquet je lui apprendrais à parler l'aigle et le corbeau

Pour finalement nous exprimer en eskimo.

Si j'avais un perroquet j'essaierais de le dessiner

Sauf qu'ensuite il me supplierait de l'euthanasier.

Si j'avais un perroquet je l'appellerais Jean-Guy

Parce que Coco c'est déjà pris.

Ou bien Tanguy ou bien Marty

Ou pourquoi pas Hello Kitty.

Si j'avais un perroquet je m'acharnerais pour qu'il mémorise *anthropomorphisme*

Je lui dirais que hormis les soleils qui sourient, je suis contre le principe

Puis je lui reprocherais quotidiennement son manque d'altruisme.

Si j'avais un perroquet je lui apprendrais ce qu'est un diagramme circulaire, je lui préciserais qu'il peut également parler de diagramme en camembert, qu'il sera tout aussi bien compris, et je lui dévoilerais en même temps la raison pour laquelle on se retrouve devant un poster des fromages de France lorsqu'on est assis sur le bord de ma baignoire, face à la porte. Il me dirait alors qu'il n'avait pas besoin de moi pour savoir cela, que c'est évident que si l'on affiche un poster avec des fromages chez soi, c'est forcément parce que l'on aime tout ce qui a transité par une fromagerie. Je lui dirais alors que pour un perroquet, il n'est pas con du tout.

Étienne enleva son écharpe, et comme il n'avait pas boutonné sa chemise à la manière d'un jeune garçon qui s'apprête à recevoir le corps du Christ pour la première fois, je pus voir le haut d'un tatouage sur son torse. Cela attira mon regard, sans que je le fixe avec insistance non plus, car je trouve ces manières indiscrètes. Qu'ils me fascinent ou m'horrifient, j'ai toujours eu beaucoup de mal à fixer les tatouages des gens. J'ai l'impression d'entrer dans leur intimité. D'être voyeuse. Indiscrète. C'est difficile à dire, mais je crois qu'il s'agissait d'un cygne. Ou peut-être d'un canard. Si j'avais un cygne ou un canard tatoué sur la poitrine, je trouverais le moment de la douche un peu longuet. Si j'étais une fille un peu lourde, une fille qui ne peut s'empêcher de lancer une blague dès qu'elle y pense, je lui demanderais s'il est bien sûr de ne pas être un mordu d'ornithologie, avant de montrer son tatouage d'un signe de tête.

— Absolument ! répondis-je. Ils sont bien frère et sœur. Tu as eu des soucis avec elle ?

— Oui, enfin… Minimes. J'ai bien compris le pouvoir qu'elle a dans l'établissement, alors… je la caresse dans le sens du poil. Que pouvons-nous faire d'autre ?

— Ah bon ? Comment ça… ? Quel pouvoir ?

— Tu n'es pas au courant ? Elle est actionnaire dans l'école. C'est une des premières choses que Benjamin m'a dites, quand je l'ai menacé de le renvoyer trois jours pour indiscipline. Cet adolescent est une vraie maladie. Mais faut-il vraiment en être surpris ? Quel genre d'individu une femme comme elle pouvait-elle bien engendrer… Un virus entraîne une maladie, c'est une loi naturelle. Ce virus fait également la pluie et le beau temps au conseil d'administration. Quand je pense que cette enragée est à la tête du plus grand hôpital de la ville.

— Quoi quoi quoi ? Elle est à la tête d'un hôpital ?! dis-je, sonnée.

— Oui ! Elle est directrice de l'hôpital Saint-Léonard. Tu l'ignorais… ?

— Oui… Complètement.

Comment ce monstre peut-il diriger un hôpital… C'est le monde à l'envers.

Étienne m'apprit d'autres choses cet après-midi-là. Je sus notamment qu'il était doué en dessin, qu'il avait d'ailleurs publié deux bandes dessinées sur le Moyen Âge, qu'il avait un hérisson prénommé Piquandoux (j'ignore si je l'orthographie correctement), qu'il passait l'aspirateur tous les jours, même s'il vit seul, qu'il aimait beaucoup mon attitude en réunion, et qu'il n'avait jamais rempli la carte de don d'organes envoyée par l'assurance maladie car il redoutait que quelqu'un entre dans la base de données et le tue pour sauver un proche. Aussi, quand il était petit, il s'endormait souvent très tard, parce qu'il avait peur que ses dents se détachent durant son sommeil ou que le soleil ne se lève pas le lendemain matin. Étienne était un petit garçon qui craignait de s'étouffer avec ses dents et de passer sa vie dans le noir. Ses confidences m'attendrirent, m'attristèrent, que de souffrance, de mélancolie et d'intelligence chez ce petit et grand garçon.

— Tu es venu t'installer ici tout seul ? Avec ta famille ?

— Non, seul. Je suis célibataire. Pas d'enfants non plus… L'amour de ma vie s'en est allé l'an dernier… Et toi ?…

Il prit une grosse gorgée de bière, façon classe de me donner du temps pour répondre à mon rythme.

— Moi… ? Je suis célibataire aussi. Depuis deux ans…

— Toi ? Célibataire depuis deux ans… En voilà une surprise.

Il venait de se mettre en mode séduction et pourtant, je ne me sentais ni rougir ni sur le point de fuir. Avec un sourire un peu forcé, je lui répondis :

— Comment ça… ?

— Parce que… Tu n'es pas exactement ce qu'on pourrait appeler un laideron, dit-il sans parvenir à étouffer complètement la zone « tendre et affectueux » de son diagramme circulaire. Je t'ai devant moi et… vois-tu, je n'ai même pas envie de regarder la fille derrière toi, même si elle abuse de son décolleté monumental et me sourit avec insistance depuis tout à l'heure. Je préfère ton col roulé en laine. Et ton regard fuyant.

Je me retournai subtilement.

— Tu trouves qu'elle est jolie ?

— Non. Elle est trop maquillée… Et elle agit comme quelqu'un qui pense que tous les regards sont fixés sur elle. Tu le vois à son visage, qui n'est jamais détendu. Elle est tout le temps très souriante et alerte à tout ce qui se passe. Et elle bouge en fonction de la position de ses cheveux. Ils sont bien placés et coiffés, en avant des épaules, et elle tient à ce qu'ils restent ainsi. Je le vois instantanément, quand quelqu'un n'est pas naturel… Toi, tu l'es tout le temps.

— Dis donc… Quelle analyse ! Tu en es presque inquiétant… ! Et qu'as-tu à dire sur *mes* cheveux… ? Et la façon dont je les bouge ?

— Pour être bien honnête, je te préfère en blonde, même si en général je suis plutôt attiré par le naturel… Mais je dois avouer que cette couleur, cette coupe, te vont à ravir. Et tes cheveux ne sont jamais statiques, signe que tu es toi-même et te moques du regard des autres… Me trompé-je… ?

— Eh bien… ! Merci pour le compliment. Non, tu ne te trompes pas du tout. Ce que les autres pensent… Ce que les autres pensent me coule dessus comme sur les plumes d'un canard… Ou d'un cygne… Ils ont probablement le même genre de plumes…

Pas de réaction… Mais de toute façon, de quel droit je fais des réflexions aussi nullissimes, moi !? Quoi qu'il en soit, je ponctuai ma réponse d'un gigantesque mouvement de tête circulaire, destiné à mettre une bonne partie de mes cheveux devant mon visage, et à le faire rire un peu. J'obtins les deux résultats visés et, par miracle, ne renversai pas le plateau du serveur qui passait au même moment entre nous et nos très proches voisins de table. Je lui fis tout de même mes excuses, car je perçus de la contrariété dans le geste qu'il dut s'imposer pour éviter l'accident. Étienne rit un peu plus encore, c'était la première fois que je le voyais rire de bon cœur ; je le lui mentionnai en ajoutant que ça lui allait très bien, de rire. J'ajoutai :

— En fait, il m'arrive moi aussi de me prendre pour le centre du monde, mais seulement quand je sors de chez le coiffeur. J'appelle cela le syndrome Jennifer Aniston. Mais dès le retour à la maison, je suis guérie…

Il sourit et m'informa que j'étais plus jolie que Jennifer Aniston.

— Mon ex… s'est tapé ma sœur, réussis-je à ajouter, après un long silence. Je n'ai pas… refait ma vie depuis. Dans trois semaines exactement, ça fera deux ans que je suis seule… Je suis célibataire depuis le *10 m.a.r.s 2013*… articulai-je avec application. Et ils sont d'ailleurs maintenant en couple.

— Oh… C'est infâme ! Je suis vraiment désolé…

— Ouais… dis-je doucement en fixant sa chemise, le regard flou. Tu es la première personne à qui j'en parle…

— Ah oui ?… Ça me touche beaucoup.

— Je les ai surpris pendant qu'elle le suçait. On était ensemble depuis six ans… On était ensemble pour la vie…

— Si tu as besoin de te confier, n'hésite pas… J'ai toute la soirée. Je suis là pour toi.

— Non, tu es gentil… Ça ne ferait que raviver la douleur. Contrairement à la plupart des gens, parler ne me soulage pas. Au contraire… Je vois ça comme un étirement du mal. Ça lui donne de l'élasticité. De l'amplitude... Alors que quand je le garde pour moi, il reste une boule compacte et bien enfermée.

— Je suis vraiment désolé... dit-il en posant sa main sur la mienne. Je comprends ce que tu dis mais je ne crois pas qu'il soit sain de tout garder en toi non plus... Alors... sache que ma porte sera toujours ouverte.

— Merci, tu es gentil.

— Je n'aurais jamais cru que tu portais un tel malheur en toi. Tu respires tellement la joie... et la force, à l'école. Tu es très courageuse...

— Moi... ? Respirer la joie... ? dis-je, épatée par mes talents d'actrice. Tu sais, ce sont souvent les plus joyeux qui sont les plus malheureux. On sait que la vie sera insupportable si on ne se force pas à être euphorique. Alors, on est euphorique. C'est très con tout ça...

Il insista pour payer mes deux thés. Il me raccompagna jusqu'au stationnement de l'école. Je lui proposai de le déposer chez lui. Il préférait marcher. Nous nous fîmes la bise.

— Merci, c'était vraiment plaisant de discuter avec toi...

— C'est moi qui te remercie d'avoir accepté mon invitation. Fais attention à toi, dit-il comme un grand frère.

Puis il partit.

En rentrant chez moi j'eus une très mauvaise idée que je suivis très scrupuleusement. Écouter du Julien Clerc. Et puisque dans la vie il faut faire les choses avec sérieux et application, je m'étendis sur mon canapé, mains croisées sur le ventre. Je fermai les yeux pour retenir mes larmes ; évidemment, ça ne fonctionna pas. Ça ne fonctionne jamais. Le corps est formidablement étanche quand on est en public, que ce soit pour contenir la merde et enfermer son odeur, contenir les émotions les plus destructrices et enfermer leur écho, mais une fois seul, on laisse tout sortir comme un torrent d'eaux usées par la vie, comme une diarrhée au sens propre comme au figuré, une diarrhée qui libère autant qu'elle effraie.

Lorsque *Ma préférence* commença, lorsque notre chanson arriva à mes oreilles, j'eus mal au cœur. J'eus mal au cœur, mais je ne le sus pas tout de suite, la douleur étant plus oppressante encore. Depuis quand des violons, et des mots, ont autant de pouvoir ? Depuis quand une chanson sévit-elle plus fort que le feu ? Depuis quand l'enfer intervient-il en clé de *sol* ?

PARTIE
6

1

*Un soir de juin 2015, après que Margaux eut décro-
ché son téléphone – si tant est que l'on puisse encore
parler de décrocher un téléphone.*

— Allô Margaux !

— Bonjour, ma libellule, ça va bien ?

— Oui, ça va. Disons que... compte tenu de la
situation : ça va... !

— Ah bon ? Quelle situation ?

— Eh bien, je viens d'apprendre le non-renouvelle-
ment de mon contrat pour l'année prochaine. Mais
bon... Je m'y attendais...

— Ah bon... ?! Mais pourquoi ?!

Je lui racontai toute l'histoire avec Éléonore
Maurice, et lui fis même la lecture de notre échange
par courriels. Elle était admirative, et m'affirma que
j'avais eu la bonne réaction. Que cette femme était
tout à fait abjecte. Puis je revins finalement au but de
mon appel : un service à lui demander.

— Oui, bien sûr. Dis-moi.

— Bon. Ne me juge pas : j'aurais besoin que tu
ailles à la bibliothèque pour moi.

— À la bibliothèque ? D'accord… Pour… ?

— J'ai besoin du numéro de la fille qui avait le livre que j'ai emprunté, juste avant moi.

— Ooookéééé… ? Pour quelle raison ?

— Trop compliqué… Je te raconterai plus tard… J'ai vraiment besoin que tu fasses ça pour moi, s'il te plaît… J'ai eu une illumination en me réveillant ce matin, et si je ne fais pas ça maintenant, je ne ferai rien jamais. C'est une urgence, tu comprends ?

— Tu es folle, tu comprends ?!

— Non seulement je le comprends, mais en plus j'en suis fière. Tu embarques dans mon projet ?

— Oui oui. OK. Enfin… Ça dépend quand même de ce que je dois faire. J'imagine que tu as un plan, car moi, pas du tout !

— Il faut que tu ailles au comptoir et que tu fasses à la lettre ce que je vais t'expliquer.

— Je t'écoute…

Le lendemain matin, elle se présenta à la bibliothèque, l'air un peu paniqué.

— Bonjour, madame, j'espère que vous pourrez m'aider !

— Bonjour ! Que se passe-t-il ? Ça n'a pas l'air d'aller ?

— Écoutez, je crois que j'ai oublié une prescription médicale très importante dans un livre que j'ai emprunté et rapporté il y a plusieurs mois déjà. C'est une prescription pour ma mère, je m'occupe d'elle car elle est invalide et malade, et nous avions un important rendez-vous demain, mais j'ai absolument besoin de ce papier sinon elle ne sera pas reçue. Et vous savez à quel point il est long et compliqué d'avoir un rendez-vous médical ! Je crois que je m'en suis servi comme marque-page quand je lisais *Un certain sourire*, de Françoise Sagan. La période correspond bien à la fois où nous avons vu le médecin et je suis du genre à prendre n'importe quoi pour un marque-page. S'il vous plaît, dites-moi que le livre est ici et que personne ne l'a emprunté depuis !

— Attendez… Ça ne sera pas bien long, on va regarder ça tout de suite. Calmez-vous, nous allons tout faire pour retrouver votre papier.

Margaux m'a raconté qu'elle avait versé une ou deux larmes pendant que la bibliothécaire cherchait dans son ordinateur. Je ne lui en avais pas tant demandé, mais elle avait pris sa mission très à cœur.

— Écoutez, le livre n'est pas à la bibliothèque en ce moment, mais je vais contacter tout de suite la personne qui l'a emprunté en dernier, et lui demander de vérifier. D'ailleurs, je vois que le livre aurait déjà dû être rapporté, elle a six mois de retard ! Si elle trouve la prescription, je vais lui expliquer toute la situation et lui demander de l'apporter ici, dans la journée si elle le peut.

— Oh… Merci beaucoup. Vous êtes un ange.

La gentille dame appela sur mon téléphone, mais je ne répondis pas, sinon mon plan allait échouer. Elle me laissa un message me demandant de la rappeler le plus vite possible, en précisant que c'était important et urgent. Bien sûr que c'est important et urgent, la santé d'une maman ! Elle a raison.

— Pour l'instant ça ne répond pas, mais je vais réessayer dans une heure et je vous tiens au courant dès que j'ai du nouveau.

— Écoutez, si vous réussissez à lui parler, je préfé-rerais carrément que vous lui donniez mon numéro et qu'elle m'appelle directement. Si elle a la prescription, j'irai la chercher sur-le-champ. Croisez les doigts pour qu'elle l'ait… Mon Dieu… Mais que je suis irresponsable… Un papier si important… Ma pauvre maman… Qu'est-ce que vous avez comme numéro ? Mon cellulaire ou mon fixe… ?

— Heu, j'ai les deux, dit-elle en regardant son ordinateur.

— Parfait, vous pouvez lui donner les deux. Merci du fond du cœur, madame. Priez pour que cette personne ait la prescription de ma mère.

— De rien, madame Leblanc. Bonne chance avec votre maman. Je sais ce que c'est…

2

— Bonjour, madame, je suis Catherine Bagnard. On m'a laissé un message il y a vingt minutes en me disant que c'était urgent et important. Est-ce à cause de mon livre en retard ? Je suis inexcusable, vraiment. Six mois, j'ai sérieusement dépassé les bornes !

— Oui, bonjour, madame. Merci de rappeler si vite. Vous avez énormément de retard, c'est vrai, mais ce n'est pas le problème dans l'immédiat. La personne qui a emprunté ce livre juste avant vous pense qu'elle y a oublié un papier important. Une prescription médicale. Avez-vous trouvé quelque chose ?

— Euh… Attendez, je vais vérifier. Je vous avoue que je ne l'ai même pas lu, finalement. Trop débordée ces derniers mois.

Je fis semblant de fouiller quelques instants…

— Ah ! Oui, effectivement, il y a un papier plié en deux. Ah ! C'est effectivement une prescription médicale ! dis-je en tripotant ma facture d'électricité.

— Quelle bonne nouvelle ! La dame avait l'air si désespérée. Elle en a absolument besoin pour demain, voyez-vous. Elle m'a demandé de vous donner son numéro, car elle aimerait vous rencontrer pour la récupérer.

— Mais oui, bien sûr. Je comprends. Donnez-moi son numéro, je vais l'appeler tout de suite.

Après m'avoir fourni un numéro de cellulaire plus un numéro de fixe, elle me donna le nom de la jeune femme en question.

— G.a.b.r.i.e.l.l.e L.e.b.l.a.n.c. Parfait, c'est noté. Je l'appelle tout de suite, vous n'aurez même pas besoin de la rappeler. Merci pour elle, les gens comme vous sont rares !

— Oh non, voyons. C'est bien normal. Je sais ce que c'est que d'avoir à s'occuper d'un proche malade…

— Bonne fin de journée, madame. Et sachez que je vais rapporter mon livre d'ici demain sans faute.

— Très bien, merci. Je vais tenter de vous épargner les frais de retard…

— Merci infiniment. Au revoir.

3

— Oui allô ?

— Oui bonjour, j'aimerais parler à Mme Gabrielle
Leblanc s'il vous plaît.

— Oui, c'est moi ?

— Bonjour, madame Leblanc, ici la bibliothèque
Émile-Nelligan.

— Oui ?

— Je vous appelle parce qu'on a trouvé un papier
dans un livre que vous avez été la dernière à emprun-
ter. C'est *Un certain sourire*, de Françoise Sagan.

— Un papier, ah bon... ? C'est quoi au juste ?

— Eh bien il y a le nom et un numéro de téléphone.
C'est écrit « Jean-Philippe, 514 555-2062, appelle
quand tu veux ! »

— Oh mon Dieu ! Mais c'est vieux ça ! Vous pouvez le jeter. Haha !

— Bien. Vous l'avez donc déjà pris en note quelque
part.

— Non, non, pas du tout. Je n'en aurai pas besoin :
ce garçon ne m'intéresse pas !

— Ah… D'accord. Il risque d'attendre longtemps alors, le pauvre, dis-je en ricanant légèrement. Vous auriez dû lui dire non tout de suite, à ce pauvre jeune homme ! ajoutai-je en prenant une voix un peu débile, histoire de justifier mon indiscrétion.

Oui, car les gens brillants ne sont pas indiscrets. Histoire aussi qu'elle ne m'envoie pas promener, car on n'envoie pas promener les dames qui ont l'air de gentilles mamies un peu égarées.

Elle eut un petit rire.

— Oui, j'aurais bien aimé mais je n'ai pas pu : c'est son frère, qui est un bon ami à moi, qui a fait l'intermédiaire. J'étais seule à l'époque et il m'a donné le numéro de son frère lors d'une soirée. Hein ! On peut dire que ça sait séduire, un homme, en 2015. Mais je pense que c'est plus son frère qui voulait nous mettre ensemble que le Jean-Philippe en question… Voilà pour la petite histoire. Mais merci quand même !

— Ah… ?! Dites donc, c'est incroyable ça ! En effet ! Et… est-ce que cet ami s'appelle Fred, par hasard ?

— Oui… !? Mais comment le savez-vous ?! Qui est à l'appareil ?

— Lucie-Pénélope, de la bibliothèque Émile-Nelligan. Au revoir et bonne journée, madame Leblanc, dis-je en affichant un sourire certain.

4

Je laçais mes chaussures de course lorsque mon téléphone sonna.

— Bonjour, Catherine. C'est Marie-Louise Kauffmann.

— Marie-Louise !? Quelle surprise ! Comment allez-vous… ?

— Je vais bien. Merci.

— Je suis heureuse de vous entendre.

— Merci, Catherine. Moi aussi. Je vous appelle, car… je voulais vous proposer quelque chose…

— Oui ?

— Les enfants et moi retournons vivre en Suisse dans quelques semaines.

— Oh ! Félicitations ! C'est un beau projet.

— Merci. Et, voilà, nous avons décidé de ne pas emporter notre chatte…

— Ah… ?

— Elle n'est plus toute jeune et je crains que le voyage ne la perturbe trop. Alors, j'ai pensé que ça vous ferait peut-être plaisir de l'avoir… Je vous la donnerais. Pour toujours…

— Ah oui ?! Écoutez… C'est très gentil d'avoir pensé à moi… Je suis très touchée…

Je réfléchis quelques secondes seulement.

— Eh bien… Avec plaisir, Marie-Louise. Ma réponse est oui.

— Fantastique ! Je suis tellement heureuse de savoir qu'elle va se retrouver chez vous. Quel soulagement. Je vous en suis très reconnaissante, Catherine. J'espère que l'entente avec son fils ne sera pas trop difficile… Depuis le temps, elle a dû oublier qu'elle l'a mis au monde…

— Oh… Ne vous inquiétez pas. Tout ira bien…

Marie-Louise me demanda si je préférais aller chez elle ou qu'elle vienne chez moi et, puisque le lendemain nous convenait à toutes les deux, je récupérerais Bambou le lendemain.

En arrivant rue de la Volière, je priai pour ne point croiser son voisin. Elle m'ouvrit avec un grand sourire, et me prit dans ses bras. Je la serrai moi aussi bien fort, instinctivement. Comme j'aurais serré un frère. Je sus tout de suite qu'Ulrich était parti avec un morceau d'elle, car la fraîcheur de son âme ne se mirait plus ni dans ses yeux ni dans sa voix. Elle ne s'était pas appliquée pour faire sa queue-de-cheval ou dissimuler ses cernes. Elle portait un haut noir tout simple, à fines bretelles, une jupe sage et mauve pastel, et de superbes sandales à talons carrés, noires. Elle était toujours aussi belle et élégante, mais elle était différente. Elle était veuve.

L'intimité de la maison inspirait la même émotion que sa devanture : *putain mais je vis dans un trou minable en fait*. Le choc était violent et le constat, d'une grande lucidité. Il y avait des plafonds hauts, des tapis chics, et des franges de tapis toutes parfaitement alignées. Mon bras à couper que les tableaux n'avaient jamais pris la poussière dans un sous-sol Ikea. Ils représentaient pour la plupart des paysages d'été. C'était joli. Je n'ai jamais eu le compas dans l'œil, mais je pense que mon appartement aurait pu rentrer six fois chez elle. Pour ma part, j'entrais intimidée ; non seulement j'ai toujours eu un grand respect pour Marie-Louise, mais en plus ça sentait l'huile essentielle extraite d'un végétal qui sent vraiment bon. Il y eut une succession d'onomatopées en moi, hummm, waoooh, oufff, suivies d'un profond vide, suivi d'une profonde tristesse.

Fiona et Jonas n'étaient pas là, mais elle me promit de ne pas manger les Kinder Surprise que je leur avais apportés.

Dans le salon où elle me reçut, deux gros canapés ocre se faisaient face et, en cas d'invités nombreux, pouvaient être épaulés par deux autres fauteuils beiges. Les rideaux s'imposaient longtemps, du plafond au plancher en fait, et sur l'arche du grand foyer en marbre, je reconnus une des photos. La photo de fond d'écran d'Ulrich… Et c'est probablement cette même photo qu'elle avait évoquée, le jour des obsèques… Mon cœur se serra comme un poing.

— Vous devez vous demander quelle mouche m'a piquée… me demanda-t-elle alors que nous nous asseyions chacune sur un canapé.

— Pardonnez-moi, mais… je ne comprends pas…

— Mon voisin m'a dit que deux jeunes femmes étaient passées après le décès d'Ulrich… J'ai tout de suite compris qu'il s'agissait de vous et Margaux. Il… Il vous a dit que j'étais chez Charles, n'est-ce pas… ?

— Oui… Mais je n'ai jamais porté aucun jugement… Ni moi ni Margaux. Nous avons tous nos problèmes, vous savez…

— Merci pour votre compréhension, Catherine… Vous êtes quelqu'un de bien. Je l'ai toujours su… dit-elle sans me regarder directement.

Je souris tristement puis lui dis merci, ne sachant que répondre d'autre…

— Je peux vous offrir quelque chose… ? Café ? Thé ? Eau ? Alcool ?

— Je veux bien un thé, s'il vous plaît.

Elle me laissa seule avec moi-même et le fantôme d'Ulrich, et c'est finalement Bambou qui vint interrompre ces longues minutes qui me donnèrent beaucoup de fil à retordre émotionnellement parlant.

— Oh… salut toi, dis-je tendrement en caressant sa tête.

Bambou avait l'air d'aimer la longueur de mes ongles et l'odeur de ma lessive.

— Tu vas venir vivre avec moi, ma jolie… J'espère que tu vas aimer ta nouvelle maison, lui expliquai-je, alors qu'elle m'avait rejointe sur le canapé.

— Miaow.

Marie-Louise revint peu de temps après, précédée d'un plateau copieusement rempli.

— Le courant a l'air de bien passer, dit-elle en versant l'eau bouillante sur mon sachet de thé.

— Oui, tout à fait ! J'ai toujours adoré les chats. Vous pouvez partir l'esprit tranquille… Elle sera heureuse chez moi.

— Merci, Catherine… Ulrich vous appréciait beaucoup, vous savez…

— Ah oui… ? Moi aussi je l'appréciais.

— Oui, vraiment. Il avait même pris votre défense à la rentrée, en janvier, quand Charles et Éléonore Maurice ont décidé de vous renvoyer définitivement… J'imagine que vous l'ignoriez alors, je vous le dis. Il s'était fermement opposé à votre congédiement et les deux autres n'ont pas aimé cela, bien sûr…

Elle s'assit, et commença à raconter plus en détail.

— Déjà, il y a eu votre réponse par courriel, à notre légendaire Éléonore Maurice, qui n'est pas passée du tout. Je vous l'avais dit au repas de Noël, en ce qui me concerne, je l'ai trouvée jouissive ! ajouta-t-elle en riant doucement. Elle a voulu qu'Ulrich vous renvoie, mais il a refusé. Et puis, il y avait aussi le fait qu'une de ses nièces enseigne le français, et elle voulait tout simplement lui donner votre place. Ulrich s'y est là aussi fermement opposé, et cela n'a pas plu… Et Charles, bien entendu, a sauté sur l'occasion pour décider de le renvoyer… Mon pauvre Ulrich… J'ai été un véritable monstre avec lui… Dire que je le sermonnais tout le temps pour qu'il arrête de fumer… Ou qu'il diminue, au moins… Finalement, c'est moi qui l'ai tué…

J'étais un peu sonnée par cette nouvelle, je savais qu'Ulrich appréciait et reconnaissait mon travail, mais pas au point de me défendre contre vents et marées. Surtout, je compris que c'était finalement à cause de moi que Charles lui avait montré la porte…

— Marie-Louise… Je ne sais pas quoi dire… Je ne savais pas qu'Ulrich avait risqué sa place pour moi. Je suis profondément émue…

— Vous savez, Ulrich se montrait froid et autoritaire, mais il avait un grand cœur. Seulement, dans ce genre de métier à responsabilités, on ne peut pas se montrer doux.

Sinon, on se fait écraser par tout le monde. Les profs…
Les parents… Les élèves… Vous comprenez ?

— Oui, je comprends…

— Et puis, il avait les autres au-dessus de lui…
Il avait beaucoup de pression sur les épaules, mon
pauvre Ulrich… C'est en partie ce qui a détruit notre
couple… dit-elle en prenant Bambou dans ses bras,
pour une des dernières fois. Il ne vivait plus que pour
l'école… Alors… j'ai craqué… dit-elle en retenant ses
sanglots, et j'ai voulu lui donner une leçon… Charles
me faisait de l'œil depuis longtemps et… j'ai cédé.
Mon Dieu, Catherine… Je suis un vrai monstre. Tout
ça est ma faute…

— Marie-Louise… Ne dites pas ça… dis-je en
allant m'asseoir à côté d'elle. On ne peut pas tout pré-
dire, et encore moins tout contrôler…

Elle colla sa tête contre mon épaule et pleura, élé-
gamment. J'étais bouleversée et me mis à lui caresser les
cheveux, comme j'aurais caressé ceux de mon enfant. Je
fixais ses mains, occupées à plaire au chat ; elles semblaient aussi fragiles que précieuses. Ses longs doigts
fins, terminés par de longs ongles arrondis et laissés au
naturel, incarnaient la délicatesse à l'état pur. La peau
laiteuse et parfaitement hydratée recevait probablement
les soins réparateurs, protecteurs, tonifiants, fortifiants
et aseptisants d'une plante exotique déclarée meilleure
amie de l'épiderme par les chercheurs actuels, et condi-
tionnée dans un petit pot hors de prix et hors des
supermarchés traditionnels. Ses veines, saillantes, nous
montraient le chemin qu'emprunte le sang avec tellement de netteté que c'était comme un appel à l'aide
d'elle-même à elle-même. Ou plutôt une démonstration
de vie. *Je suis en vie*, lui hurlaient ses veines. Son

alliance était une alliance traditionnelle, fine et en or, et sur le majeur de sa main droite elle portait un autre anneau, plus large et en argent, incrusté de quatre petits diamants bleus.

Lorsqu'elle se ressaisit finalement, elle s'excusa pour son laisser-aller. Eut honte. Mit son visage fatigué dans ses mains.

— Enfin, je vous en prie, n'ayez pas honte... Ce que vous traversez est épouvantable. Vous avez le droit de pleurer, et de crier, et de vous laisser aller. Il faut rester forte devant les enfants, mais pas devant moi...

Elle essuya ses larmes et respira faiblement un grand coup.

— Je ne sais plus quoi faire pour me sortir de ce cauchemar... Pour connaître, ne serait-ce que cinq minutes par jour, un sentiment de légèreté... De bien-être... Je me sens vidée, Catherine. Comme morte, moi aussi... Plus là... Ce sont les enfants qui me permettent de tenir...

— Dansez. Souvent.

— Je vous demande pardon... ?

— Dansez, Marie-Louise. Mettez de la musique à fond la caisse et dansez de toutes vos tripes. Faites-vous péter les tympans et les chevilles. Déchaînez-vous.

— Vous êtes amusante...

— Pas du tout ! Ça n'a rien d'une blague. Levez-vous. Où est-ce que je peux mettre de la musique ?

— Ici, dans ce meuble. Mais tous mes disques sont déjà rangés dans les cartons...

— Ce n'est pas un problème... J'ai mon téléphone. Laissez-moi vous mettre un de mes morceaux favoris. Mais attention, Marie-Louise. Ce morceau s'écoute à fond ou ne s'écoute pas.

— Mais… oui… D'accord. Allez-y. Réglez le volume comme vous le souhaitez. De quoi s'agit-il… ?

— Ça s'appelle *Man O To*. C'est de Nu.

— Je ne connais pas…

— Le contraire m'aurait *beaucoup* surprise, dis-je avec un sourire, tout en branchant mon téléphone sur son appareil.

La musique résonna dans ce grand salon tout beau et si triste, et je commençai à me dandiner tranquillement. Marie-Louise me regardait depuis son canapé, sans trop comprendre ma philosophie.

— Levez-vous, ma chère.

— D'accord… Mais je ne sais pas comment danser sur ce genre de musique…

— Laissez-vous aller. Faites comme si c'est vous qui jouiez la musique, avec vos jambes et vos bras.

Elle se mit à osciller maladroitement, sans grande conviction ; je montai le volume plus fort que dans une boîte de nuit et lui saisis les mains. Au rythme de la musique, je me mis à sauter en donnant des coups de hanches à droite, et à gauche, et elle m'imita.

— Enlevez vos sandales ! lui criai-je.

Elle donna deux coups décidés qui les firent décoller.

— Je veux voir vos cheveux bouger dans tous les sens ! Allez ! Faites sortir la folle qui est en vous !

Je la lâchai et me mis à taper dans les mains tout en dansant et en sautant autour d'elle. J'enseignai à ses hanches, à ses cheveux, à ses bras, que le monde est vaste, et que la musique constitue un bon guide pour l'explorer. Ils me comprirent et bientôt, je sus même la couleur de sa petite culotte que la sage jupe en folie découvrait un peu à chaque saut.

Je collai mon derrière contre elle et lui pris les bras, l'entraînant cette fois dans ma propre danse. Nous faisions le tour des canapés, elle se laissait diriger, par moi, par la mélodie, par ce moment de liberté qu'offre la musique à ceux qui savent accepter les cadeaux. Elle se mit à chanter en hurlant. N'importe quoi. N'importe comment. L'important c'est de hurler.

Je me retournai vers elle sans lâcher ses mains, et elle colla sa bouche sur la mienne. Nous arrêtâmes de danser instantanément. Puis elle prit mon corps dans ses bras et m'embrassa. Aveuglément. Ses larmes mouillaient nos lèvres et ses baisers me confondaient avec Ulrich. Sa détresse me rentra dans le ventre comme un coup de pied. Puis elle s'effondra par terre. Ses pleurs bruyants me crevaient le cœur et je fis la seule chose qu'il y avait à faire, je la pris à mon tour dans mes bras jusqu'à ce qu'elle se calme. Nous restâmes ainsi jusqu'à la fin de la chanson et plus longtemps encore.

— Je vous écrirai depuis la Suisse... me dit-elle en se mouchant, pendant que nous nous relevions. Merci, Catherine... Et excusez-moi pour cette scène... Je suis confuse. Vous êtes une femme en or... Nous aurions dû sympathiser avant...

— Je vous avouerai qu'il m'est plusieurs fois passé par la tête de vous proposer un verre, mais je me suis toujours dit que vous ne comprendriez pas...

— Vous plaisantez... ? J'aurais dit oui sans hésiter. Et je vous aurais même proposé un autre verre. Puis un autre... Puis un autre... dit-elle en reniflant. Ah... Seigneur... Que j'ai mal sous les yeux... À force de pleurer, ma peau est irritée par le sel et le frottement de mes manches, des mouchoirs... Quand je suis dans la cuisine, je m'essuie même dans les torchons à vais-

selle. Et c'est la même histoire pour mes narines…
J'achète les mouchoirs les plus doux qui soient, mais
elles n'en peuvent plus… Je dois arrêter de pleurer
aussi souvent…

Je finis mon thé quasiment froid et elle son café,
qui ne fumait plus lui non plus. Les biscuits qu'elle
m'invitait à manger avec insistance étaient finalement
délicieux et je m'en remplis l'estomac.

— J'aime beaucoup ce que vous portez aux pieds,
me dit-elle, contemplative et yeux rougis.

— Oh, merci. Elles sont tellement confortables, si
vous saviez ! J'aime aussi beaucoup vos sandales.

— Merci… Elles viennent de Suisse, dit-elle en
allant les récupérer à l'autre bout de la pièce. Je les ai
achetées l'été dernier…

— Très stylées, vraiment. Vous avez beaucoup de
goût.

— J'ai une idée…

— Oui… ?

— Aimeriez-vous qu'on fasse un échange… ?

— Un échange… ?

— Un échange de chaussures, oui…

— Mmmm… Pourquoi pas ! Mais vous êtes sûre
que vous allez porter ça ? Il me semble que ça ne correspond pas tout à fait à votre style…

— Justement… J'ai besoin de changement. Et
comme ça, vous allez m'accompagner en Suisse.

— Eh bien… D'accord ! Bonne idée. Et moi je gar-
derai un peu de vous ici… En plus de Bambou.

Je défis mes lacets en me félicitant de ne pas avoir
enfilé une vieille paire de chaussettes bien misérables
ce matin-là et, après avoir eu confirmation que nous

faisions la même pointure, nous enfilâmes chacune notre nouvelle acquisition.

— Eh bien. Je repars avec un joli chat et une jolie paire de sandales, dis-je en souriant. Merci, Marie-Louise.

Sur le pas de la porte, je la pris dans mes bras en lui souhaitant bonne chance, comme j'aurais fait avec une grande amie. Bambou n'appréciait pas la dimension de la cage et miaulait ; Marie-Louise la caressa de son mieux à travers la petite grille, en retenant ses larmes. Je la consolai à nouveau, en lui disant que tout irait bien. Qu'elle allait retrouver son bébé Luc et qu'ils seraient heureux ensemble.

Alors que je démarrais ma voiture, elle quitta le porche de sa maison et s'avança jusqu'au milieu de l'allée, que seuls des plantes vivaces et un soleil absolu égayaient. Je baissai la vitre et nous échangeâmes un regard aussi grandiose que douloureux. Je fus alors éblouie. Éblouie par cette femme que j'avais toujours beaucoup estimée. Et éblouie par le scintillement de mes Converse.

Elle décroisa ses bras pour nous dire au revoir, ou adieu, en élevant sa main doucement. Je lui fis un grand sourire en lui soufflant un baiser, de loin ; n'est-ce pas ainsi qu'on embrasse les anges ?

5

Je fis des copier-coller des deux courriels, avec les dates et adresses, en m'arrangeant pour qu'ils tiennent sur une seule page. J'en fis autant de copies qu'il restait de feuilles dans mon imprimante et les pliai chacune en trois. Le lendemain matin, après un bon quart d'heure de route, j'arrivai à l'hôpital Saint-Léonard. Après m'être garée dans la rue, je me présentai à l'accueil.

— Bonjour, madame ! Je commence un stage aujourd'hui et je voulais savoir s'il y a une section du stationnement réservée aux employés, ou si je dois aller dans le stationnement payant ?

— Oui, il y a une section réservée aux employés devant l'entrée C, mais pas pour les stagiaires, désolée.

— Ah. Bon, OK. Ce n'est pas grave. Merci. Bonne journée ! Ah, j'allais oublier. J'ai un petit quelque chose pour Mme Éléonore Maurice, et elle m'a demandé de le déposer à l'accueil. Alors voici.

— D'accord. Je vais le mettre dans son casier. Mais… Il est vide ce paquet, non ?

— C'est vrai qu'il ne pèse rien. C'est qu'il contient seulement un bijou de sac. Un Louis Vuitton en plus. J'espère qu'elle aimera… ! Bonne journée !

J'enfilai ma casquette et mes lunettes de soleil, puis me dirigeai vers l'entrée C. Le soleil et les petits oiseaux du matin me donnaient du courage ; je soulevai un premier essuie-glace et coinçai une première feuille dessous, la main tremblante. Je fis la même chose quatre-vingt-douze fois, puis repartis, le cœur battant plus fort que d'ordinaire.

À mon arrivée à l'école, j'avais ce qui doit probablement être une boule de bowling à la place des intestins.

Je m'apprêtais à y passer ma dernière journée… Ma dernière journée avec mes élèves. Ma dernière journée en ces murs, où j'avais enseigné durant cinq ans…

Je montais les marches pour la dernière fois, ces marches dans lesquelles je m'étais cassé la figure trois ans auparavant, sans trop de dommages néanmoins.

J'utilisais les toilettes pour la dernière fois.

Je sentais l'odeur des couloirs et du lilas devant la fenêtre de la salle des professeurs pour la dernière fois.

J'entendais le timbre particulier de notre sonnerie pour la dernière fois…

Je disposais de mon casier pour la dernière fois. Je déscotchai d'ailleurs les deux sachets de lavande que j'avais placés à l'intérieur, je récupérai ma boîte à thés, mon chargeur de téléphone et mon paquet d'amandes, et je grattai avec l'ongle de mon pouce l'étiquette collée sur la porte, sans toutefois m'acharner. Le nouveau ou la nouvelle qui hériterait de mon casier fin août saurait que quelqu'un dont le nom de famille finit par « rd » l'avait eu juste avant.

Contrairement à ce que je m'étais imaginé, le diagramme circulaire de mon état d'esprit, ce jour-là, ne laissait pas beaucoup de place au soulagement. Au contraire. Mon cœur était sombre et mon sourire, artificiel.

L'après-midi, les élèves et moi nous amusâmes furieusement. J'avais apporté ma chaîne hi-fi et des CD de musique qui bouge ; ils dansèrent tous comme des petits fous, même les plus introvertis. Laurence allait beaucoup mieux, et les résultats de ses traitements étaient très encourageants. Finalement ce sont là les choses importantes.

Et voilà…

La fin…

La journée était terminée.

Je pris dans mes bras les collègues que je croisai, même ceux que je n'avais jamais portés dans mon cœur. Sans rancune. Bonne continuation. Certains furent surpris, d'autres en parfait accord avec ce débordement d'humanité.

Les tripes nouées et les yeux humides, je me suis dirigée vers la porte principale. Dans le grand hall d'entrée, au mur, Ulrich me regardait en souriant, derrière la vitre de son cadre.

Ulrich Kauffmann – 1971-2015
Merci pour toutes ces années, monsieur le directeur.
Nous ne vous oublierons pas…

Je fixai M. Kauffmann dans les yeux, avec un sourire discret, et ému, avant de lui dire par télépathie : « Vous voyez, je vous ai obéi… J'en ai acheté des plus sobres… Des blanches… Reposez en paix, cher Ulrich… »

Je me suis ensuite dirigée vers le lilas, à l'arrière du bâtiment, et je lui ai fait mes adieux. Je l'ai remercié pour sa présence, et sa beauté. Puis j'ai quitté cette école définitivement.

Muriel Moreno bousculait le silence et mon chagrin en parlant de champs qui brûlent, mon volant était bouillant, la gerbe de lilas embaumait déjà ma voiture ; c'était encore le début des beaux jours et pourtant, je pleurais. Quand la liberté s'additionne à l'été, pas besoin d'un doctorat en mathématiques pour savoir que le résultat se compose de sept lettres : b, o, n, h, e, u, r. Eh bien moi je révolutionne les lois de l'algèbre. Liberté + été = épreuve foutrement difficile.

6

Margaux venait de mettre son fils au lit lorsque je cognai à sa porte. C'est Victor qui m'ouvrit, enjoué et amical comme la première fois, mais surtout très surpris par la Catherine blonde aux cheveux courts. Il ne le formula pas clairement, mais je pense qu'il trouvait cela super beau.

— T'inquiète pas, vous aurez la paix, me dit-il tout de suite après les salutations et questions de politesse. Mar vient de mettre Sébastien au lit et moi j'ai du boulot…

« Mar »… ? Il la surnomme vraiment Mar… ? C'est un scandale.

Elle arriva dans la foulée – « Ma Cathou ! » –, nous nous fîmes une accolade pleine de sincérité, après quoi elle m'annonça qu'un petit aménagement sympa nous attendait sur son balcon, et je pus constater par moi-même que nous allions effectivement passer une bonne soirée, allongées sur des chaises longues avec une couverture pour chacune, au cas où, éclairées et réchauffées par un petit foyer au gaz, nourries par de petites bouchées salées, désaltérées par une bonne bouteille de rosé, et détendues par un petit joint, préalablement roulé par Victor, puisque ni elle ni moi ne sommes capables de rouler un joint ressemblant à autre chose qu'à un haricot vert ayant morflé dans le fond de son cageot.

Margaux s'assit, piocha un petit croûton au saumon, puis, après avoir qualifié mon imagination de fantastique, m'informa qu'il ne serait pas totalement inconcevable de lui expliquer pourquoi elle avait dû pleurer accoudée à un comptoir de bibliothèque deux semaines plus tôt.

— Il s'appelle Jean-Philippe, répondis-je d'entrée de jeu. Et je te dois effectivement des explications.

— Il y a donc un homme derrière tout ça… Ahhh… !? Dis-m'en plus…

Après l'avoir à nouveau remerciée et félicitée, je me lançai alors dans ce qui, pour elle comme pour moi, resterait probablement l'un des récits les plus abracadabrants jamais entendus ; ce que j'avais fait méritait de voir le jour sur grand écran, ce que j'avais fait était, selon ses mots, « à mi-chemin entre le plus fou des désespoirs et le plus admirable des espoirs ».

Après avoir reçu beaucoup d'amour et de compassion, j'essuyai quelques instants de douces réprimandes : pourquoi et comment avais-je pu garder pour moi la trahison de François et de ma sœur ?! Elle aurait été là pour me consoler, m'épauler… Je lui répondis alors ce que j'avais expliqué à Étienne, et elle eut la même réponse que lui.

À peine arrivées dans le MPGSIC (le Monde Parallèle des Gens Sous l'Influence du Cannabis), nous commencions à rire pour tout et n'importe quoi.

— Tu lui as vraiment parlé d'impératrices russes quand il t'a demandé ton nom ?! me dit-elle en se marrant à outrance.

— Mais oui… ! Je lui ai répondu : « Euhhh… Si tu as une attirance pour les impératrices russes… sûrement que oui… ? » dis-je en empruntant une voix et une intonation profondément sottes. Je lui ai balancé ça avec un petit ton mystérieux en plus… ! Comme s'il y avait du suspense !… Putain… Il a dû me prendre pour une vraie folle…

Elle était pliée de rire et oxygéner son organisme de façon régulière lui demandait visiblement beaucoup d'efforts. Victor vint nous rejoindre un peu plus tard, et proposa un deuxième joint.

— OK, mais léger alors… répondis-je sans hésiter.

Margaux approuva.

— Léger, lapin…

Il tira dessus une seule fois puis repartit dans son bureau – beaucoup de boulot. Je ne vis pas d'inconvénients à cette initiative, en ce qui me concerne.

— Et donc, comment a-t-il pris ton retour, après quatre mois de silence ?

— Je ne sais pas… Il ignore que je suis de retour…

— Qu'est-ce que tu veux dire ?

— Je ne l'ai pas encore rappelé… Je n'ose pas…

— Mais qu'est-ce que tu attends ? Tu vas téléphoner à cet homme et plus vite que ça, Cathou Bagnard ! On n'a pas fait toute cette mascarade avec la bibliothèque pour rien, quand même… !?

— Oui… Tu as raison. Il faut que je trouve le courage de le rappeler. Quelle situation… Et puis avec toute la scène que je lui ai faite lors de notre dernière discussion… Alors qu'il n'avait strictement rien fait pour mériter ça… Je n'ai pas dû marquer beaucoup de points. Et puis si ça se trouve… il est en couple, et m'a oubliée…

— Si ça se trouve il est seul et pense à toi.

— Oui… dis-je, peu convaincue.

— Je rentre à l'intérieur. Fais-moi signe quand tu as fini.

— De quoi tu parles ?

— De ta discussion avec Jean-Philippe. Je t'enferme sur ce balcon et ne t'en délivre pas avant que tu aies eu une discussion avec lui.

— Ah non… Margaux… Je ne suis pas en état, là…

— Si, au contraire. Tu es décontractée et semble avoir les idées très claires. Au boulot.

Elle alla s'asseoir dans le salon avec un magazine et me fit un gigantesque sourire à travers la porte vitrée. Merde. Il fallait que je l'appelle. Elle avait beaucoup trop raison et j'avais beaucoup trop tardé.

Je me levai de ma chaise longue.

Je pris une grande respiration.

Puis une gorgée d'eau.

Puis une gorgée de vin.

Je composai son numéro sans aucune hésitation ; ma mémoire raffole véritablement des chiffres.

Ça se mit à sonner.

Je repris une gorgée d'eau en vitesse, me raclai la gorge à deux reprises, puis entendis sa voix.

— Catherine de Russie… Ça fait un bail. Je ne pensais pas que tu allais me rappeler…

— Ah bon… ?

— Et je n'aurais pas rappelé non plus…

— Ah… Tu m'en veux beaucoup, hein… ?

— Je crois que tu m'as pris pour un gros con… Et

en général, je ne garde pas contact quand on me prend pour un gros con.

— Non… Je t'assure… Je ne t'ai jamais pris pour un con. Excuse-moi…

— La raison de ton appel ? Je suis pressé et pas tout seul.

— Je t'appelais pour m'excuser… et pour entendre ta voix. Tu n'es pas tout seul… ? Écoute… Puis-je avoir une deuxième chance quand même ?

— Je suis avec des amis. Je ne sais pas ce que tu cherches, honnêtement… Je ne l'ai jamais compris, depuis ton tout premier appel.

— Je cherche à être heureuse…

— On est tous dans ton cas, ma grande !

— Jean-Philippe… Ne m'appelle pas comme ça… C'est une torture… Tu me hais à ce point… ?

— Je te rafraîchis la mémoire : tu débarques de nulle part, tu disparais, tu réapparais, tu m'envoies chier sans raison et tu disparais encore… Tu m'as choisi pour me faire souffrir ?! Tu crois pas que j'ai eu ma dose de souffrance ?!!

— Je sais, oui… Je suis si désolée… Je n'ai jamais voulu te faire souffrir. Je suis parano mais… je travaille là-dessus. C'est pour ça que je me suis emportée… Dès le resto, dès que tu m'as dit ne pas savoir d'où venait le papier, j'ai cru que tu me mentais… On recommence tout à zéro, OK… ?

— Et pourquoi ce serait différent cette fois ?

— Parce que j'ai compris.

— Ah… ? Et tu as compris quoi ?

— Que je peux encore être heureuse.

— Ah… Je suis content pour toi, Catherine.

— Merci, Jean-Philippe.

— ...

— On ne peut pas en rester là. Il y a eu quelque chose entre nous... Tout de suite. Depuis le parcmètre. Tu l'as senti toi aussi... Et ce qui s'est passé chez Peter-Ludovic alors ? Ça ne compte pas ?

— Quoi ? De qui tu parles ?

— Ton ami Pilou...

— Il s'appelle Ghislain. Écoute... Sérieusement... j'en ai connu des folles, mais comme toi, jamais.

— Je ne sais pas si je suis folle, mais je sais que tu me manques... Et j'ai envie de t'entendre dire « soupe won-ton » dix fois par jour.

— Si si. Tu es bien folle. Laisse-moi du temps pour y penser... Déjà que je m'attendais pas du tout à ravoir de tes nouvelles... J'ai besoin de respect et de sécurité pour pouvoir rebâtir quelque chose. Tu comprends ça ?

— Oui, je comprends tout à fait... D'accord... Je vais t'attendre.

— Bonne soirée...

— Merci... Ah... et euh... Jean-Philippe ?

— Oui ?

— Je t'ai menti...

— Ah... ?

— À propos de mon frère...

— OK... Tu peux être plus précise, *please* ?

— Eh bien... Je n'ai pas de frère, en fait... J'ai inventé une excuse en vitesse ce soir-là, car je ne me sentais pas à mon meilleur pour discuter avec toi. J'étais trempée et pleine de mousse dans les cheveux parce que j'ai répondu à ton appel pendant que je prenais ma douche... J'ai juste une sœur, mais je la hais et la maudis depuis deux ans, car elle s'est tapé mon ex et me l'a volé. Tu vois, nous avons vécu la même

270

chose... Voilà. Tu es le premier homme avec qui j'ai envie de tenter quelque chose depuis deux ans ; tu es le premier homme à qui j'ai envie de faire confiance...

— Ouf... Ça fait beaucoup d'informations en même temps, tout ça... J'espère que tu n'inventes rien cette fois.

— Non, je t'assure...

— Écoute, je suis désolé pour ce qui t'est arrivé. J'imagine que ça a dû être terrible... Je suis bien placé pour l'imaginer, d'ailleurs.

— Affirmatif...

— Tu aurais dû m'en parler avant... Ça m'aurait sûrement aidé à te comprendre, à décoder ta crise de l'autre fois. Surtout que de mon côté, je t'ai raconté mon histoire dès notre premier rendez-vous. Je me suis tout de suite ouvert à toi. Tu aurais dû faire pareil et me faire confiance.

— Oui, c'est vrai...

— Laisse-moi un peu de temps, OK ? J'ai besoin de réfléchir... Tu es intense...

— Oui... OK... Je vais t'attendre... Excuse-moi encore.

— Bonne soirée, Catherine de Russie... Et... merci pour ta franchise.

— Bonne soirée, Jean-Philippe...

Margaux ouvrit la porte vitrée quelques secondes après.

— Alors ?

— Alors il faut attendre.

— Raconte... !

Nous nous rassîmes. Je racontai. Elle me félicita.

— J'aime tes tongs, tu sais. Et je suis terriblement fière de toi.

— Merci… Elles sont neuves. Je suis aussi terrible-ment fière de moi.

Puis je me mis à rire légèrement.

— Qu'est-ce qu'il y a de drôle ?

— Tu veux savoir ce qui est arrivé à ma dernière paire de tongs ?

— Bien sûr ! Sauf s'il y a des animaux qui souffrent.

— J'ai accompagné ma cousine et sa fille faire des courses l'autre jour. On devait acheter des choses pour la fête de la petite, on fêtait ses trois ans.

Elle m'écoutait avec attention, en souriant à l'avance. Je poursuivis.

— La petite Mélanie a voulu prendre un minicaddie, tu sais, les paniers pour enfants. Mais au bout de cinq minutes, elle en avait marre de le pousser. Alors j'ai dit à ma cousine de continuer, que j'allais le rapporter à l'entrée. En même temps, on s'est rendu compte qu'elle avait chipé une pomme au rayon des fruits. Alors ma cousine m'a demandé si je pouvais la rap-porter en même temps que le caddie… Alors je m'en vais, avec le caddie et la pomme. Mais là je me rends assez vite compte que j'ai l'air un peu conne à pousser un minicaddie pour enfant qui m'arrive aux genoux, en tenant une pomme dans l'autre main.

Elle pouffa, en attendant la suite. Je pris une poi-gnée de cacahuètes, sans toutefois avoir la présence d'esprit de m'en mettre une dans la bouche.

— Bref, je dépose finalement le caddie à l'entrée et je me dirige ensuite vers le rayon des fruits. Mais là, LÀ : ma tong me lâche en chemin ! Pas lâchée dans le sens « sortie de mon pied » : lâchée dans le sens « le truc entre le gros orteil et l'autre orteil s'est carrément retiré de ses fonctions, c'est-à-dire de la semelle ».

Totalement impossible alors de continuer à marcher avec cette tong ; je l'ai enlevée. Penses-y deux minutes, là : je n'avais plus de caddie, ni grand ni petit, pas de sac à main, pas d'enfant, pas de conjoint, pas d'amie pour rire avec moi de la situation et me donner au moins une contenance… Non non, je me promenais toute seule dans un supermarché, avec seulement une pomme dans une main et une tong disloquée dans l'autre, en boitillant légèrement, et je rigolais toute seule et nerveusement de la situation ! J'avais l'air d'une *sacrée* conne !

Nous étions pliées de rire, jusqu'à ce qu'un voisin en dessous nous apprenne, de façon assez catégorique, qu'il y a des gens qui aimeraient dormir.

— Excusez-nous, monsieur, réussis-je à articuler. C'est parce qu'on a fumé de la drogue et on n'a plus l'habitude. On va rentrer à l'intérieur et faire du coloriage, ajoutai-je en m'essuyant les yeux.

Nous terminâmes la soirée dans le salon, en nous comportant comme des adultes responsables cette fois : le petit Sébastien dormait dans sa chambre. Vers 2 heures du matin, Margaux me proposa de passer la nuit chez eux, sur le canapé. Sans hésitation, j'acceptai, à condition que ce ne soit pas sur celui en osier. Bien que j'aurais effectivement préféré un vrai oreiller, je lui répondis que non, que c'était OK, que j'allais dormir avec le coussin au cerf bleu imprimé dessus.

Elle s'assit à côté de moi pour me border et dit :

— Qu'est-ce que tu vas faire maintenant… ?

— Dormir…

— Petite comique. Je veux dire pour la suite…

— 'Sais pas, dis-je en m'enveloppant sous vide dans la couverture. Probablement ouvrir un salon de thé…

Elle sourit tendrement.

— Je serai ta première cliente.

— Tu es gentille…

— Bonne nuit, Cathou…

— Bonne nuit, Mar…

Elle offrit un bisou à mes cheveux décolorés, mais jolis.

— Il y aura de tout sauf du foutu thé aux châtaignes, ajoutai-je, la bouche pâteuse et les yeux déjà fermés, alors qu'elle était déjà dans sa chambre.

7

Le lendemain après-midi on cogna à ma porte. Je consultai mon œil magique avant d'ouvrir : c'était... Étienne !?!

— Étienne !?! Mais qu'est-ce que tu fais là ?

— Salut. J'ai appris que tu ne reviendrais pas à l'école... dit-il, les mains dans les poches, en tentant de garder pour lui son air abattu. Alors je venais te dire au revoir. Je ne t'ai pas vue hier...

— Oui... Mais... viens. Entre. Comment tu as eu mon adresse ?

— Tu m'as dit le nom de ta rue l'autre jour, et je connais ta voiture. Ça n'a pas été difficile.

— Oui, c'est vrai...

Je lui offris une place sur mon canapé et lui demandai s'il voulait boire quelque chose.

— Je ne peux pas venir chez toi et boire autre chose que du thé. Choisis la sorte pour moi, tu as toute ma confiance... Tant que ce n'est pas à base de menthe.

— Ah ! Avec plaisir.

Il avait l'air dépité. Je me sentais mal. J'aurais dû lui parler de mon départ... Avec son petit look, près du corps et stylé, il était très séduisant. Comme toujours. Intimidant, même. Dommage qu'il soit si sérieux. Si introverti. Si malheureux… Il a beaucoup de charme.

Pendant que le thé à la rose infusait, j'élaborais divers scénarios pour détendre l'atmosphère. De retour dans le salon, j'y allai avec un très enthousiaste :

— Elle est chouette ta cravate dis donc !

— Merci. Cadeau d'élève reçu à Noël. Comme ça tu t'en vas… Est-ce qu'il y a une raison particulière ?

— Oui… Écoute… Je ne l'ai précisé à personne, mais… je me suis fait mettre dehors. À cause d'Éléonore Maurice. J'ai été… assez sincère avec elle…

— À cause d'Éléonore Maurice ?

— Oui… Je n'ai pas vraiment envie de te raconter la chose en détail ; j'essaie de me sortir tout ça de l'esprit… Mais de toute façon, je ne me sentais plus bien dans cette école… Ça n'allait déjà pas du temps d'Ulrich, mais maintenant avec Sylvie comme directrice, ça n'aurait fait qu'empirer. Je serais partie de moi-même, quoi qu'il en soit…

— Je comprends… Eh bien… Tu vas me manquer… Il fallait que je te le dise.

J'eus un petit rire affectueux.

— Tu es chou. Excuse-moi de ne pas t'en avoir parlé. J'ai vécu pas mal de trucs difficiles ces derniers temps…

— Je comprends, ne t'en fais pas… Est-ce que j'aurai la chance de te revoir ?

— Euh… Oui… ! Oui, avec plaisir. On pourra aller prendre une bière de temps en temps, ça va me faire grand plaisir !

— Et si j'ai envie de t'inviter au restaurant un de ces soirs, est-ce que ça aussi, ça va te faire grand plaisir ?

276

dit-il avec, sur le visage, l'expression du gars qui se grille volontairement, et qui en est à la fois content et gêné.

— Ah… Écoute Étienne… Comment dire ? Je t'apprécie beaucoup, mais… je suis trop compliquée pour toi, je t'assure.

— Haha ! Elle est bonne. Il est fondamentalement impossible d'être plus compliqué que moi. Ça, je peux te le garantir sur papier.

— Oui, peut-être… mais vraiment, je ne pense pas qu'il pourrait y avoir autre chose que de l'amitié entre nous. Excuse-moi d'être aussi directe, mais ça ne sert à rien que je tourne autour du pot. On a trop souffert et on est trop sombres l'un et l'autre. Notre couple ne serait pas équilibré.

— « Notre couple ne serait pas équilibré. » Et qu'est-ce qu'un couple équilibré, pour toi… ? Je suis curieux…

— Il ne peut pas y avoir deux âmes en peine. Tout simplement.

— Tu me considères comme une âme en peine ?

— Je crois que, comme moi, tu en as bavé. Et tu es un grand mélancolique. Tu n'es pas un imbécile heureux, ou un heureux tout court. Oui… Ton âme a de la peine, je crois…

— Et pourquoi les âmes en peine ne seraient-elles pas formidablement assorties, au contraire ? Et parfaitement compatibles ? Ton raisonnement me désole, car, si je le suis, tu cherches donc un homme qui n'a rien vécu de dur et d'éprouvant, un homme qui n'a aucune sensibilité et aucune profondeur… Tu cherches un gros con, quoi… Comme ton ex ?

J'exagérerais en affirmant qu'il utilisait un ton sermonneur, toutefois, son propos l'était, et cela m'irritait quelque peu.

— Étienne… Déjà, mon ex était loin d'être con. Hélas… Il était brillant et particulièrement sensible. Mais c'était – c'est – un vrai salaud. Je ne cherche pas un gros con, non. Je cherche un gars à la fois solide et sensible. Ça ne court pas les rues, je sais, mais ça existe. Je cherche le gars qui va me discipliner le cerveau, qui va balayer mes angoisses existentielles en me parlant de réno, de voyages ou de cinéma, car moi aussi, il m'arrive d'être une grande mélancolique. Comme toi. Et je ne peux pas être avec quelqu'un de plus tourmenté que moi… Voilà tout… Je cherche un gars qui s'endort en un claquement de doigt et emmerde les démons, car je suis influençable. Je cherche un mec simple, bon et fidèle. C'est tout. Et d'ailleurs, j'en ai peut-être trouvé un…

Il prit une grande respiration, à laquelle succédèrent un long soupir de renoncement puis quelques secondes de silence.

— Ah… Je ne savais pas… Je suis heureux pour toi, dans ce cas…

— Merci…

— C'est mon histoire de don d'organes qui t'a fait peur ?… Tu me prends pour un malade mental ?

— Non, dis-je, attendrie. Ça n'a rien à voir…

— OK… Tu as raison après tout. Tu as raison de me refouler sans hésiter… Les rénovations, ce n'est pas mon truc, et je suis insomniaque moi aussi. J'ai peur d'avaler mes dents, je te l'ai dit, ajouta-t-il avec une pointe d'ironie. Est-ce que je peux quand même finir mon thé ?…

— Mais oui, bien sûr... Tu peux même revenir si tu veux. Je t'apprécie beaucoup, tu sais. Et j'ai toujours adoré les gens qui ont peur d'avaler leurs dents. Ils ont quelque chose de très attachant... Écoute... Ne vois pas dans ma réaction un quelconque refus de te revoir, surtout.

— C'est noté. Merci... Moi aussi je t'apprécie beaucoup. Si au moins tu avais la décence d'être repoussante...

— Dis donc... Je ne te savais pas dragueur comme ça... ! Tu caches bien ton jeu à l'école...

— Non... Ce n'est pas un jeu, Catherine. Et je tiens à préciser que la drague ne fait ni partie de mes centres d'intérêt, et encore moins de mes habiletés, ajouta-t-il en se levant. C'est toi... Tu es différente. Tu exerces une attraction sans pareille sur moi...

Il se dirigea vers mon coin musique tandis que je cherchais une réponse adéquate dans mon gros tas de peine et d'embarras.

— Je suis désolée, Étienne... Je n'avais pas senti les choses comme ça entre nous... Et je ne veux pas te faire souffrir... Surtout pas...

— Je vais souffrir, certes, mais ce ne sera pas le fait de ta volonté... dit-il, accroupi, en considérant ma collection de vinyles.

Je crois que cette réponse sans les yeux me soulagea.

Il dit oui à ma proposition de petits trucs à grignoter, puis me demanda s'il pouvait mettre de la musique.

— Bien sûr ! Fais comme chez toi.

Pendant que je préparais une petite assiette de sucré dans la cuisine, *Nothing Else Matters* commença à résonner dans mon appartement. Je souris avec tendresse, en déchirant deux essuie-tout de leur rouleau. Au bout de quelques secondes, il se mit à accompagner le groupe à l'harmonica. Quelle agréable surprise. Quelle délicate attention. J'en fus profondément émue et l'écoutai quelques secondes sans bouger. Puis j'ouvris le tiroir du bas et en sortis la boîte que je ne sors jamais.

Je retournai dans le salon sans mon assiette de biscuits et chocolat aux amandes parce que jouer d'une seule main, ce n'est point l'idéal. Je réussis à attraper la chanson en cours de route ; l'harmonica de mon grand-père s'était tellement ennuyé du morceau que je n'eus presque rien à faire, sinon souffler et aspirer.

Nous nous regardions dans les yeux, émus chacun pour des raisons différentes.

— Et moi qui comptais te proposer une petite leçon, me dit-il à la fin du morceau.

— Ah, c'est vrai ? C'était une chouette idée, mais je joue depuis que je suis enfant… C'est l'harmonica de mon grand-père. Je n'ai jamais réussi à en jouer depuis sa mort…

— Ton histoire avec ton grand-père est très belle… Ça m'a touché l'autre fois… Merci de m'avoir accompagné. Je suis comme lui un grand fan de ce morceau.

Nous discutâmes une bonne heure, je crois. Avant de partir, il m'écrivit son numéro et son adresse courriel sur un papier.

— Appelle ou écris-moi quand tu veux, surtout.

Je souris et pris le bout de feuille.

— Avec plaisir. Merci.

8

Le soir même, je me rendis à la bibliothèque. Au rayon *Romans*, je trouvai sans trop de difficultés le bouquin de Françoise Sagan que j'avais dû acheter pour remplacer l'autre, qui s'était littéralement volatilisé avant que j'aie pu le rapporter à la bibliothèque, en décembre dernier. Je l'ouvris au chapitre 2 de la deuxième partie, y déposai le papier d'Étienne, puis remis le livre à sa place.

9

Deux jours plus tard.

— Allô !? répondis-je, émue.

— Tu ne disparaîtras plus sans raison ?

— Non, dis-je, émue.

— Tu fais quoi ce soir ?

— Je... Je t'invite à manger, proposai-je, toujours émue. J'aimerais que tu m'apprennes à faire des raviolis...

— Haha... ! Tu es mignonne.

— Et je t'expliquerai par la même occasion d'où vient le fameux papier. J'ai élucidé l'affaire...

— Ah bon !?

— Oui... Et nous devons une fière chandelle à ton frère, qui se préoccupe peut-être un peu trop de ta vie sentimentale, mais à qui on doit notre rencontre.

— Quoi ? Fred... !? Qu'est-ce qu'il a à voir là-dedans ?

— Je ne t'en dis pas plus... ! Là au moins, je suis sûre que tu vas venir.

— Je serais venu de toute façon... Tu as une roulette cannelée pour les raviolis ?

— Euh… Pas le moins du monde…

— J'apporte la mienne. Et je vais même apporter tout le reste.

— Jean-Philippe… ?

— Oui ?

— Tu me promets de ne jamais sauter ma sœur ?

— Quoi ?! T'es folle ou quoi !?

— Dernière chose…

— Oui, Catherine de Russie ?

— Tu me promets de ne jamais porter de chemises à manches courtes ?

Au chapitre 2 de la deuxième partie du deuxième livre de Françoise Sagan que j'ai emprunté à la bibliothèque, je suis tombée sur un petit morceau de papier contenant une information brève et anodine, mais qui bouleversa ma vie.